★ 英汉注释

汉语会话

第三版

301句

练习册

下册

来思平　康玉华　编著

By Lai Siping & Kang Yuhua

CONVERSATIONAL CHINESE 301 WORKBOOK

北京语言大学出版社
BEIJING LANGUAGE AND CULTURE
UNIVERSITY PRESS

图书在版编目(CIP)数据

汉语会话301句练习册·下册/来思平，康玉华编著．
北京：北京语言大学出版社，2008.4
ISBN 978-7-5619-2064-0
Ⅰ．汉… Ⅱ．① 康…② 来… Ⅲ．汉语－口语－对外汉语
教学－习题 Ⅳ．H195.4
中国版本图书馆 CIP 数据核字（2008）第 048529 号

书　　名：汉语会话 301 句练习册·下册
责任编辑：程　洲
封面设计：张　娜
责任印制：汪学发

出版发行：**北京语言大学出版社**
社　　址：北京市海淀区学院路 15 号　邮政编码：100083
网　　址：www.blcup.com
电　　话：发行部　82303650/3591/3651
　　　　　编辑部　82303647
　　　　　读者服务部　82303653/3908
　　　　　网上订购电话　82303668
　　　　　客户服务信箱　service@blcup.net
印　　刷：北京画中画印刷有限公司
经　　销：全国新华书店

版　　次：2008 年 5 月第 1 版　2008 年 5 月第 1 次印刷
开　　本：787 毫米×1092 毫米　1/16　印张：7.75
字　　数：86 千字　　　　印数：1 － 3000 册
书　　号：ISBN 978-7-5619-2064-0/H·08053
定　　价：22.00 元

凡有印装质量问题，本社负责调换。电话：82303590

前　言

　　本书是为《汉语会话 301 句》课本编写的练习册，分上、下两册，各二十课。上册每课后有汉字笔顺表。每册后附练习参考答案，并有一份试卷，供学习者自测。

　　本练习册既适用于自学，也可用于教师课堂教学或作为家庭作业。

　　本练习册集中选用了教学实践中多种行之有效的操练方法，并结合 HSK 的测试形式，多角度地进行全面操练，纠正初学者易出现的错误。从词语的搭配，到不同语境中语言结构的变换以及阅读理解等方面，促使学习者逐渐横向扩展语言的运用范围，引导他们提高理解和应用汉语的能力。

　　希望通过这样的练习，能帮助初学者较快地、全面牢固地掌握基础汉语，并为进一步提高汉语水平打下坚实的基础。

编者

2008 年 3 月

目　录

请你参加

一 熟读词语

Read repeatedly the following words..

参加	通知	帮助
～晚会	～大家	～朋友
～舞会	～学生	～妈妈
～工作	～我们	～老师
～考试	看～	

一定	正在	参观
～参加	～唱歌	～北京大学
～转告	～打电话	正在～
～喜欢	～上网	
	～接电话	

里		
银行～		
学校～		
饭店～		

二　选择以上词语完成句子

Complete the following sentences with the above words.

1 在家里，我常常＿＿＿＿＿＿做饭、洗衣服。

2 我去找他的时候，他＿＿＿＿＿＿上网。

3 老师＿＿＿＿＿＿，明天八点考试。

4 小张毕业后，很快就＿＿＿＿＿＿了，他们公司的王经理对
职员不错。

5 我学了一首中国歌，给你唱唱，我想你＿＿＿＿＿＿。

6 你看＿＿＿＿＿＿了吗？星期六晚上七点有舞会。

7 你看，那个＿＿＿＿＿＿吃饭的人很多，那儿的饭一定好吃。

三　给括号内的词语找到适当的位置

Find the appropriate place in the sentence for each word given in the bracket.

1 A 我正在 B 打电话 C 。　　　　　　　　（刚才）

2 请你 A 小王 B 明天去清华大学参观 C 。　　（转告）

3 玛丽 A 唱 B 中国 C 歌吧。　　　　　　　（一个）

4 你 A 认识 B 他 C 的？　　　　　　　　　（什么时候）

5 A 老师们 B 那个教室里 C 开会呢。　　　　（正在）

6 星期日晚上的音乐会，A 你 B 别去晚了 C 。　（一定）

四　判断正误（对的画√，错的画×）

True or false (Tick if true and cross if false).

（　　）1 新年跳舞会你去参加吗？

（　　）2 我去参加新年舞会。

(   ) 3 他休息在房间里呢。

(   ) 4 他新年晚会参加王先生跟一起。

(   ) 5 昨天我给你打电话的时候，你正在吃饭吧？

(   ) 6 昨天我给你打电话的时候，你正在不正在吃饭？

五   改错句

Correct the mistakes in the following sentences.

1 小王请我帮助拿东西他。

    → _____

2 老师通知去长城我们。

    → _____

3 我转告这个事儿他了。

    → _____

4 圣诞节我去参加音乐会。

    → _____

5 昨天我们去动物园参观了很多动物。

    → _____

六   阅读理解

Reading comprehension.

你知道我和小王是怎么认识的吗？

有一次，我在商店买东西，买的东西很多。正不知道怎么拿的时候，小王说："我帮你拿吧！"他送我走出商店，送我上出租车，很热情（rèqíng，37 课①）。

从这以后，我们常常通电话、见面（jiàn miàn，22 课）。他帮我学汉语，我帮他学英语，我们现在是好朋友。

选择正确答案

1　A. "我"在商店买了很多东西。

　　B. "我"不知道拿什么东西。

　　C. 小王不知道"我"拿的什么东西。

2　A. 小王送"我"东西，小王走出商店。

　　B. 小王帮助"我"拿东西。

　　C. 小王送"我"东西，小王上出租车。

3　"从这以后"的意思是_____。

　　A. 从这个地方以后

　　B. 从小王这样热情以后

　　C. 从"我"和小王这样认识以后

---

① "37 课"表示这个生词将在第 37 课"熟读词语"部分出现，其他与此相同。

第二十二课 **婉拒**

我不能去

一 **熟读词语**

Read repeatedly the following words.

见面	空儿	刚
跟老同学~	有~	~来
见见面	有~的时候	~毕业
见了一面	没~	~参加工作
		~吃完饭

约会	陪	巧
跟朋友~	~谁去……	太~了
有~	~……去商店	真~
在北海公园~	~……去看画展	不~

二 **选择以上词语完成对话**

Complete the following dialogues with the above words.

1 A：现在有个新电影，我们下午去看好吗？

B：＿＿＿＿＿＿，有个同学来看我。

A：那就等你＿＿＿＿＿的时候再说吧。

2 A：你们去哪儿啊？

　　B：我_____，她想买件毛衣，让我帮她挑挑。

3 A：你什么时候来的？我来晚了吧？

　　B：不晚，我也是_____。

　　A：那我们走吧。

4 A：星期天你做什么？

　　B：我_____。

　　A：是女朋友吗？

　　B：不，是我的小学同学。我们在北海公园见面。

三　给括号内的词语找到适当的位置

Find the appropriate place in the sentence for each word given in the bracket.

1 你 A 我 B 去 C 找一下王经理好吗？　　　　　　　（陪）

2 我想和王兰一起去看画展，A 她 B 没空儿 C。　　（可是）

3 下课以后，我们 A 应该 B 生词、课文 C。　　　　（复习）

4 今天我有空儿，A 可以 B 跟他 C。　　　　　　　（见面）

5 晚上 A 我 B 一个约会 C，不能参加舞会了。　　　（有）

6 A 我 B 要 C 出去找玛丽，玛丽就来了，真巧！　（刚）

四　判断正误（对的画√，错的画×）

True or false (Tick if true and cross if false).

（　　）**1** 你毕业以后见面她了吗？

（　　）**2** 你毕业以后跟她见面了吗？

（　　）**3** 我刚才喝完咖啡，还想吃点儿东西。

（　　）**4** 我刚喝完咖啡，还想吃点儿东西。

（　　）**5** 刚你去哪儿了？我找你你不在。

（　　）**6** 刚才你去哪儿了？我找你你不在。

（　　）**7** 我买了两封电影票，给你一封。

（　　）**8** 我去邮局寄了两封信。

五　　改错句

Correct the mistakes in the following sentences.

1 A：你吃了橘子吗？ → _____

　　B：吃了。

　　A：你吃几个橘子了？ → _____

　　B：三个。

2 A：你见面王先生了吗？ → _____

　　B：我见面他了。他给我了一本杂志。

　　　　→ _____

　　A：是中文的吗？

　　B：不，是英文的。

3 A：刚我拿来的那张报你见了没有？

　　　　→ _____

　　B：没见。刚才拿来就没有了？再找找。

　　　　→ _____

六　阅读理解

Reading comprehension.

今天晚上有音乐会，我想约（yuē，23课）王兰一起去。想好以后，就给王兰打电话。真不巧，她明天有考试，今天没空儿，她要复习。她说："等考完以后再说吧。"我想，考完以后，音乐会也完了。听说（tīng shuō，25课），这个音乐会好极了，我还是想去听。我去大卫的宿舍，问问大卫，看他是不是能陪我去。

选择正确答案

1　A. "我"想约王兰一起去买票。

　　B. "我"想约王兰一起去听音乐会。

　　C. "我"想约王兰一起去复习。

2　王兰说："等考完以后再说吧。"意思是_____。

　　A. 王兰考试的时候，请"我"等她，她要和"我"说话（huà）。

　　B. 王兰考完试以后，请"我"等她，她要和"我"说话。

　　C. 王兰说，考完试以后再去听音乐会。

3　A. 王兰考完了，音乐会也完了。

　　B. 王兰还没考试，音乐会还没完。

　　C. 王兰的考试和音乐会都完了。

4　A. "我"要一个人去听音乐会。

　　B. 音乐会完了，"我"去大卫宿舍找大卫。

　　C. "我"想约大卫跟"我"一起去听音乐会。

对不起

一 熟读词语

Read repeatedly the following words.

修	用	还	坏
～好	～一～	～东西	弄～
～了～	～词典	没～	用～
能～	～笔	什么时候～	玩儿～
会～			骑～

可能	约	借	久
～坏了	～谁	～东西	很～
～修好了	～好	可以～	～等
～不来了	～不～	～多长时间	多～

才	小说		
～来	一本～		
～知道	看～		
～听懂	买～		
	翻译～		

二 选择以上词语完成对话

Complete the following dialogues with the above words.

1 A：你怎么_____？我八点就来了。

   B：让你_____，真对不起。

2 A：你那本英文小说可以_____？

   B：你_____？

   A：一个星期，下星期五以前我一定_____。

   B：你等一下，我去给你拿。

3 A：我的电脑_____，不能用了。

   B：听说小王_____，你去问问他。

4 A：星期六的画展你_____跟你一起去呢？

   B：还没想好约谁，你有空儿吗？

三 给括号内的词语找到适当的位置

Find the appropriate place in the sentence for each word given in the bracket.

1 你快 A 进 B 来 C 吧！　　　　　　　　　　（教室）

2 你找刘京吗？他 A 回 B 去 C 了。　　　　　（宿舍）

3 A 十分钟以前 B 他 C 来了。　　　　　　　　（就）

4 A 现在他 B 来 C，可能他的自行车坏了。　　（才）

5 做 A 饺子 B 就可以吃饭了。　　　　　　　　（好）

6 翻译 A 这个句子 B 我就陪你玩儿。　　　　　（完）

四　改错句

Correct the mistakes in the following sentences.

A：大卫，你看那本杂志完了吗？我也想看看。

→ _____

B：还没看完呢，明天给你可以吗？

A：可以，你看完以后，张新让转交我吧。

→ _____

B：张新回去上海了，我能找你，我给你吧。

→ _____

A：好吧！

五　判断正误（对的画√，错的画×）

True or false (Tick if true and cross if false).

(　　) ① 他刚下去楼，他说到操场去玩儿。

(　　) ② 他进去房间拿东西，一会儿就出来。

(　　) ③ 你别等我，你先走吧。

(　　) ④ 真遗憾，你的随身听我弄坏了。

(　　) ⑤ 对不起，你的英文报我弄脏了。

(　　) ⑥ 约好的，我怎么能来呢？当然要来！

(　　) ⑦ 我们六点半才来，你怎么七点来了？

(　　) ⑧ 修你的照相机好了吗？

六 阅读理解

Reading comprehension.

下午三点我走出学校，想去网吧上网。这时候，我看见前边有一个小男孩儿，他很快就走进网吧去了。我想，小孩子不能进网吧，应该让他回家去。

走进网吧，我见那个孩子正和网吧管理员（guǎnlǐyuán, keeper）说话（huà）呢。管理员不让他进去，可是他不听，一定要进里边去。这是李老师的孩子，我认识他。我说："快回家去吧，这不是你应该来的地方。"他看了看我，有点儿（yǒudiǎnr, a little）不好意思，慢慢走出去了。

选择正确答案

1 A. 网吧在学校外边。

　　B. 网吧在学校里边。

　　C. 网吧、小男孩儿家都在学校里边。

2 A. 小男孩儿进网吧是想和网吧管理员说话。

　　B. 小男孩儿进网吧是想上网。

　　C. 小男孩儿进网吧是想学习。

3 "这不是你应该来的地方" 意思是＿＿＿＿＿。

　　A. 小孩子应该来这个地方（网吧）。

　　B. 这个地方（网吧）不是你想来的地方。

　　C. 这个地方（网吧）你不应该来。

真遗憾，我没见到他

一 熟读词语

Read repeatedly the following words.

关	见	急	联系
~窗户	~到	~事	跟……~
~电视	~一面	别~	常~
~电脑	~一见		不~
~手机			有~
			~方法

可惜	忘	摔	马上
真~	常~	~坏	~就去
太~了	没~	~碎	~就修好
	别~了		~就懂了
	~在……了		

二 选择以上词语完成对话

Complete the following dialogues with the above words.

1 A：别关门，我的手机_____。

B：你快进去拿吧，车_____就要开了。

A：你_____，还有十分钟呢！

13

2 A：你_____我的茶杯了吗？

B：你看，在那儿呢。

A：哎呀，怎么_____了？不能用了。

B：还是新的呢，_____！

三 给括号内的词语找到适当的位置

Find the appropriate place in the sentence for each word given in the bracket.

1 出门的时候我 A 关 B 电视 C 了，真糟糕！ （忘）

2 他上星期刚买的花瓶，A 今天 B 摔 C 碎了。 （就）

3 这是我的手机号，以后 A 我们 B 联系 C 吧。 （多）

4 你别走了，饭 A 就 B 做好了 C，吃了饭再走吧！ （马上）

5 经理 A 他 B 马上 C 回公司。 （让）

6 他让我 A 常 B 发 C 电子邮件。 （给他）

四 判断正误（对的画√，错的画×）

True or false（Tick if true and cross if false）.

（　　）1 他摔了一个酒杯碎了。

（　　）2 他摔碎了一个酒杯。

（　　）3 你出去的时候，请关好窗户。

（　　）4 你出去的时候，请关窗户好。

（　　）5 我给小李买的地图忘在书店里了。

（　　）6 我忘给小李买的地图在书店里了。

(   ) **7** 小李不在家，他出差上海去了。

(   ) **8** 小李不在家，他去上海出差了。

(   ) **9** 你常联系他吗？

(   ) **10** 你常跟他联系吗？

五   改错句

Correct the mistakes in the following sentences.

1 饭做好了，妈妈说我们吃饭。

→ _____

2 我的新书弄脏了，真遗憾！

→ _____

3 他打保龄球的时候摔手机坏了。

→ _____

4 他房间的地有很多东西，乱七八糟极了。

→ _____

5 他新买的随身听摔坏了，你说可惜没可惜？

→ _____

6 糟糕，给朋友买的礼物拿忘了！

→ _____

六　阅读理解

Reading comprehension.

今天有空儿，我们三个好朋友约好去外边吃饭。我们想一起喝喝酒，说说话（huà, 29 课）。

吃什么好呢？小李说，很久没吃烤鸭了，去吃烤鸭吧。我和小王不知道学校外边哪个店的烤鸭好吃，让小李告诉我们。

小李说："学校东边那个店的烤鸭不错，也不贵。"我们就去了。

太好了，我们到那儿的时候，人还不多。我们挑了一个离窗户近的地方坐，要了两瓶啤酒、三个菜，让服务员慢一点儿给我们上烤鸭。

我们的啤酒快喝完的时候，烤鸭来了。真的不错，黄黄的，很好看，也很好吃。

吃完饭，小李先交了钱，我和小王给小李钱的时候，我才知道我忘带钱了，真糟糕！我说回学校以后再给小李钱，小李说没关系，可是我很不好意思。以后我不能再这样（zhèyàng, like this）了！

选择正确答案

1　A. 他们在房间外边吃饭。

　　B. 他们在学校外边的饭店吃饭。

　　C. 他们在学校外边的路上吃饭。

2　A. 他们很长时间没吃烤鸭了。

　　B. 他们想吃烤鸭想了很久了。

　　C. 小李说吃烤鸭说得很久。

3 A. 服务员上烤鸭上得很慢。

B. 他们让服务员不要很快上烤鸭。

C. 服务员想快一点儿上烤鸭。

4 A. 这次吃饭应该小李花钱。

B. 这次吃饭应该是三个人花钱。

C. 这次吃饭应该是小李、小王两个人花钱。

5 A. 小李一个人花钱，说话人不好意思。

B. 说话人忘带钱了，不好意思。

C. 小李、小王两个人花钱，说话人不好意思。

这张画儿真美

一 熟读词语

Read repeatedly the following words.

布置	觉得	画	放
~房间	~怎么样	~画儿	~在……
~教室	~不错	~完了	在……~了……
~得很美	~很冷	~好了	~好了
~好了	~很抱歉	~得真……	

画儿	方便	容易	这么
一张~	很~	很~	~好
中国~	不~	不~	~冷
~展	这么~	这么~	~马虎

又……又……	要是……就……
~好吃~便宜	~觉得冷，~进来吧
~快~好	~知道，~告诉你
~远~不方便	~有空儿，~来玩儿吧

二 选择以上词语完成对话

Complete the following dialogues with the above words.

1 A：你看，这＿＿＿＿＿＿＿＿＿＿＿＿＿？

  B：画＿＿＿＿＿＿好！

2 A：昨天让你久等了，我＿＿＿＿＿＿＿＿＿＿＿。

  B：没什么，我知道你工作忙。

3 A：画展＿＿＿＿＿＿吗？

  B：快布置好了。

4 A：你住的地方买东西＿＿＿＿＿吗？

  B：方便，有不少商店，还有一个大超市。

5 A：你看，这个花瓶放＿＿＿＿＿好看？

  B：我觉得＿＿＿＿＿＿＿＿＿＿不错。

三 给括号内的词语找到适当的位置

Find the appropriate place in the sentence for each word given in the bracket.

1 昨天冷，A 今天 B 冷 C。 （更）

2 考试的时候不能马虎，要是马虎，A 就 B 出错 C。（容易）

3 A 新买的衣服 B 在衣柜里 C 了吗？ （放）

4 他的房间 A 布置 B 得 C 漂亮！ （这么）

5 A 这些画儿 B 买的 C，是我画的。 （不是）

四　判断正误（对的画√，错的画✕）

True or false（Tick if true and cross if false）.

（　　）**1** 她的手表又样子好看，又颜色漂亮。

（　　）**2** 要是衣柜大一点儿，就更方便了。

（　　）**3** 要是你学习，就我关了电视。

（　　）**4** 要是你累了，就休息休息吧。

（　　）**5** 你的铅笔在本子呢。

（　　）**6** 我觉得画人最不容易。

五　改错句

Correct the mistakes in the following sentences.

1 今天两个他们一起去公园。

　　→ _____

2 这个大衣柜这么颜色好看！

　　→ _____

3 你说今天冷，我觉得更昨天冷。

　　→ _____

4 要是你不认识路，就我带你去。

　　→ _____

5 这些本杂志借给我看看吧。

　　→ _____

六　阅读理解

Reading comprehension.

小张和小王要结婚了。他们找来小李帮助他们布置新房。

他们买了一些画儿，还买了一些花儿。桌子、椅子、书柜、大衣柜、床也都买好了。

小李说："那张最大的画儿挂（guà，32课）在客厅（kètīng，living-room）好，那两张山（shān，29课）水画儿挂在卧室（wòshì，睡觉的房间）。大衣柜放在床旁边，书柜放在客厅。那些有盆（pén，pot）的花儿放在客厅的窗户下边；别的花儿放在花瓶里，花瓶放在桌子上，很漂亮。"

小张和小王觉得小李说得很对。说完，他们三个就开始（kāishǐ，34课）布置新房了。

选择正确答案

1 A. 小张和小王结婚了。

　　B. 小张和小王还没有结婚。

　　C. 小张和小王不想结婚。

2 A. 他们不知道小李在哪儿，他们找小李。

　　B. 他们和小李一起来新房了。

　　C. 小李一个人来新房了。

3 A. 布置新房的东西都买好了。

B. 布置新房的那天买了那些东西。

C. 他们想买那些东西布置新房。

4 A. 客厅里有一张大画儿。

B. 客厅的那张大画儿很好。

C. 客厅里要挂一张大画儿。

5 A. 他们三个说完以后马上布置新房。

B. 他们三个布置完新房了。

C. 他们三个今天以后再布置新房。

祝贺你

一 **熟读词语**

Read repeatedly the following words.

考	全	打开	问题
~什么	~班	~窗户	问~
~得怎么样	~家	~门	有~
~得不太好	~国	~柜子	什么~
~坏了		~书	

快乐	可爱	幸福	只
生活~	~的孩子	~生活	一~狗
~的一天	~的样子	生活得很~	一~熊猫
很~	觉得……很~	祝……~	一~手
	真~		

难	了 (liǎo)	祝
很~	吃得/不~	~……身体健康
太~了	拿得/不~	~……工作顺利
不太~	去得/不~	~……快乐
		~……幸福

23

二　选择以上词语完成对话

Complete the following dialogues with the above words.

1 A：这次考试你_____？

　 B：不太好，你呢？

　 A：我也_____。

2 A：今天的课，我_____不懂。

　 B：什么问题？我帮帮你。

3 A：星期六下午_____同学都来照毕业相，你怎么
　　 没来？

　 B：我来晚了，我来的时候，你们都走了。

4 老师：请同学们_____，看第四课生词。

　 学生：老师，这些词_____要会写吗？

　 老师：都应该会写。

5 A：你买这么多东西，_____？

　 B：你看，那是我姐姐，两个人拿没问题。

6 A：我要换一个新的工作了。

　 B：祝_____！

三　给括号内的词语找到适当的位置

Find the appropriate place in the sentence for each word given in the bracket.

1 你 A 打 B 书柜 C 看看有没有那本词典？　　　（开）

2 你能 A 放 B 手里的东西 C，帮我开开门吗？　　（下）

3 这个盒子是不是 A 打 B 开 C 了？　　　　　　（不）

4 你说，这个手机 A 还 B 修 C 好吗？　　　　　（得）

5 他 A 口试 B 成绩 C，笔试成绩不太好。　　　　（好）

6 他们 A 的 B 新婚生活 C。　　　　　　　　　　（很幸福）

四　判断正误（对的画√，错的画×）

True or false (Tick if true and cross if false).

（　　）1 这个窗户怎么打得不开了？

（　　）2 祝贺你考试了全班第一！

（　　）3 这张照片多漂亮啊！

（　　）4 这么大的蛋糕两个人吃不了。

（　　）5 昨天我的手表修得好了。

（　　）6 祝您全家新年快乐了！

五　改错句

Correct the mistakes in the following sentences.

1 这个难问题，我不会做。

　　→ _____

2 他们结婚以后，有了一个很可爱的孩子，很幸福生活。

　　→ _____

3 这个铅笔盒打得不开，你帮我一下儿。

→ _____

4 这本杂志你一个星期看得完不完？

→ _____

5 那个中国人说得太快，我听得不懂。

→ _____

6 他买了一只鱼，想晚饭的时候吃。

→ _____

六　阅读理解

Reading comprehension.

王阿姨（āyí, aunt）有一只小狗，叫乐乐。它（tā，动物、东西用这个字）白色的毛（máo, hair），黑色的眼睛（yǎnjing, 34课），很可爱。早上和晚上王阿姨都带它出来。它喜欢在外边玩儿，见到别的狗，它就更高兴，跑得快极了。

王阿姨常常给它洗澡（xǐ zǎo, 33课），它又干净又漂亮，人们都喜欢它。孩子们更喜欢它，常常想给它一些好吃的东西。可是王阿姨不让孩子们给它吃。她说，要是吃乱七八糟的东西，会吃坏肚子（dùzi, belly）；还说，它吃东西，就像我们人吃饭一样，什么时间吃，一次吃多少，都是一定的。

乐乐是人们的朋友，认识它的人都喜欢它。

选择正确答案

1 A. 乐乐到外边玩儿的时候很高兴，在外边见到别的狗它更

高兴。

B. 别的狗高兴，乐乐更高兴。

C. 乐乐早上出来很高兴，晚上出来更高兴。

2 "乱七八糟的东西" 意思是_____。

A. 这些东西很乱

B. 这些东西很坏

C. 这些东西狗吃了不好

3 A. 狗吃的东西跟人吃的饭一样。

B. 狗一定吃东西。

C. 狗应该在一定的时间吃东西。

你别抽烟了

一 熟读词语

Read repeatedly the following words.

注意	这样	迟到	病
~安全	~不好	~了	~了
~身体	~可以吗	没~	有~
注没注意	不能~	别~	什么~
不~	别~		
没~			

每	事故	舒服	有点儿
~天	出~了	不~	~不舒服
~年	别出~	~极了	~咳嗽
~（个）星期	交通~	觉得很~	~感冒
~人			~头疼
~次			~冷

得（děi）	习惯	技术
~注意	~……的生活了	有~
~快（一）点儿	不~	~不错
~早（一）点儿	没~	修车的~
~休息	好~	
	坏~	

二 选择以上词语完成对话

Complete the following dialogues with the above words.

1 A：你工作太忙了，得＿＿＿＿＿＿＿＿＿＿＿＿＿＿＿。

　　B：是啊，我每天睡得很少。

2 A：你注没注意，张老师＿＿＿＿＿＿＿＿＿＿＿＿＿。

　　B：注意了，他说话的时候常常咳嗽。

　　A：他要是不抽烟就好了。

3 A：听说老李＿＿＿＿＿＿＿＿，住院了。

　　B：＿＿＿＿＿＿＿＿？应该去看看他。

4 A：每次开会你都＿＿＿＿＿＿＿＿＿＿＿＿＿，今天早点儿去，

　　　＿＿＿＿＿＿＿＿＿。

　　B：知道了，今天我一定晚不了！

5 A：这个房间怎么样？舒服吗？

　　B：我＿＿＿＿＿＿＿＿＿＿＿＿＿，好极了。

6 A：车怎么不走了？是不是＿＿＿＿＿＿＿＿＿＿＿＿＿？

　　B：可能是，前边有很多车和人。

7 A：你第一次来北京，＿＿＿＿＿＿＿＿＿＿＿＿＿了吗？

　　B：还不太习惯，吃饭、坐车都不太习惯。

三 给括号内的词语找到适当的位置

Find the appropriate place in the sentence for each word given in the bracket.

1 你 A 过马路 B 要 C 安全。　　　　（注意）

2 小张 A 修自行车 B 的技术 C。　　　（不错）

3 今天参观 A 你 B 一定 C 迟到。　　（别）

4 你骑 A 车 B 骑 C 太快了。　　（得）

5 你得 A 早 B 休息 C。　　（一点儿）

6 我以后不 A 骑 B 车 C 了。　　（快）

7 抽烟 A 身体 B 不 C 好。　　（对）

四　判断正误（对的画√，错的画×）

True or false（Tick if true and cross if false）.

（　　）1 今天我觉得一点儿头疼。

（　　）2 我一定别抽烟了。

（　　）3 今天非常冷，穿少了容易感冒。

（　　）4 你看，那儿交通事故了。

（　　）5 你得安全注意啊！

（　　）6 我每天喝水得不多。

五　改错句

Correct the mistakes in the following sentences.

1 一点儿喝酒对身体没关系，多喝了不好。

→ _____

2 今天我一点儿忙，没空儿，明天陪你去吧。

→ _____

3 每个年我都来中国。

→ _____

4 他真不好习惯，每天房间里乱七八糟的。

→ _____

5 A：这是给你的生日礼物。

B：不带礼物，你太客气了！

→ _____

六　阅读理解

Reading comprehension.

老刘这些天觉得有点儿不舒服，不想吃饭，不想做事，工作的时候也想睡觉。

你知道为什么吗？他有一个星期不抽烟了！不是他自己不想抽了，是他爱人让他改（gǎi, quit, give up）改习惯，不让他抽了。

他爱人说，抽烟对身体不好，老刘常常咳嗽，要是不抽烟，不用吃药，慢慢就不咳嗽了，咳嗽的病好了，身体就好了。她还说，开始的时候不习惯，时间长了，就会习惯的。

我们觉得他爱人说得对，我们说："老刘，你别不高兴，你爱人这样是爱（ài, love）你，你有这样一个好爱人，多幸福啊！"

选择正确答案

1 A. 老刘不舒服，他病了。

B. 老刘不喜欢工作，想睡觉。

C. 老刘不抽烟了，他不习惯。

2 A. 老刘咳嗽的病好了，身体也好了。

    B. 老刘咳嗽的病还没好。

    C. 老刘要是不咳嗽了，就不用吃药了。

3 A. 要是不抽烟的时间长了，老刘就不会不舒服了。

    B. 老刘不舒服的时间很长了。

    C. 老刘开始不舒服了。

4 "老刘的爱人不让他抽烟" 是＿＿＿＿＿＿。

    A. 爱老刘

    B. 不想买药

    C. 不喜欢老刘咳嗽

第二十八课 比较

今天比昨天冷

一　熟读词语

Read repeatedly the following words.

预报	练习	刮	下
天气～	～写字	～风	～雨
～天气	～画画儿	～坏	～雪
听……～	做～	～跑	……～得很大

暖和	高	凉快	
天气～	气温～	天气～	
衣服～	个子～	外边很～	
房间里～	～楼	～极了	

二　选择以上词语完成对话

Complete the following dialogues with the above words.

1 A：北京的春天常常_____吗?

 B：不，不常_____，常常_____，有时候风很大。

33

2 A：你＿＿＿＿＿＿＿＿＿＿＿＿＿＿了吗？今天天气怎么样？

　　B：听了，最高气温23℃，最低气温10℃，天气很好。

3 A：房间里太热，外边＿＿＿＿＿＿＿＿，我们去外边吧。

　　B：是啊，外边＿＿＿＿＿＿＿＿＿＿＿＿，真舒服！

4 A：小张比小王＿＿＿＿＿＿＿＿，可是吃得比小王少。

　　B：那是小张想让自己瘦一点儿。

5 A：你这个字写得真漂亮！你常常＿＿＿＿＿＿＿吗？

　　B：我每个星期最少有两个下午＿＿＿＿＿＿＿＿＿＿。

　　A：我也得练习练习了。

三　　给括号内的词语找到适当的位置

Find the appropriate place in the sentence for each word given in the bracket.

1 A 冬天 B 我去公园 C 滑冰。　　　　　　　　　（有时候）

2 那个孩子不到三岁，才 A 两 B 岁 C。　　　　　（多）

3 这件衣服不便宜，是 A 三百 B 块钱 C 买的。　　（多）

4 这个房间比那个房间 A 暖和 B。　　　　　　　（一点儿）

5 他 A 比我 B 早起床 C。　　　　　　　　　　　（二十分钟）

6 小李比小王滑 A 冰 B 滑 C 好。　　　　　　　　（得）

四　　判断正误（对的画√，错的画×）

True or false (Tick if true and cross if false).

（　　）1 我喜欢秋天，秋天比夏天凉快极了！

（　　）2 北京的秋天没冷也没热。

（　　）❸ 他走得快比我。

（　　）❹ 房间里暖暖和和的，你进来暖和暖和吧！

（　　）❺ 昨天下雪大，交通不方便。

（　　）❻ 今年冬天不冷，比去年冬天高气温得多。

五　用"比"改写句子

Rewrite the following sentences with "比".

> 例：我 1.8 m，他 1.75 m。
> →我比他个子高。

❶ 我的词典旧，他的词典新。

　　→他的 _____。

❷ 昨天最高气温 26℃，今天最高气温 30℃。

　　→今天 _____。

❸ 小张家有五口人，小王家有三口人。

　　→小王家 _____。

❹ 一斤苹果三块钱，一斤橘子四块钱。

　　→一斤橘子 _____。

❺ 小李滑冰滑得很好，小张刚学滑冰。

　　→小李 _____。

六　阅读理解

Reading comprehension.

　　去年一月，我去了一次三亚（Sānyà，Sanya）。最高气温三十多度，最低气温二十多度，我得穿夏天的衣服。最舒服的运动（yùndòng，29课）是在大海（hǎi，sea）里游泳（yóu yǒng，29课）。有时候下雨，很凉快。晚饭以后我常常跟朋友们到海边散步（sàn bù，29课）。海风轻（qīng，29课）轻刮，小船慢慢划。有游泳的，有玩儿的，真像画儿一样美。

　　很快，我从三亚回到北京。北京下雪，刮西北风，冷极了。最高气温零度，最低气温零下十度，公园里有人滑冰。北京是冬天，三亚没有冬天。这两个地方的天气不能比。我觉得很有意思。

选择正确答案

1　A. 运动最舒服。

　　B. 海边最舒服。

　　C. 游泳最舒服。

2　A. 海边的晚上像画儿。

　　B. 海边散步的人像画儿。

　　C. 海边的小船像画儿。

3　A. 北京比三亚冷，"我"觉得很有意思。

　　B. 三亚没有冬天，"我"觉得很有意思。

　　C. 都是一月，可是北京、三亚的天气这么不一样，"我"觉得很有意思。

第二十九课 爱好

我也喜欢游泳

一 **熟读词语**

Read repeatedly the following words.

运动	爬	游泳	比赛
什么~	~山	会~	~……球
喜欢~	~楼	游游泳	参加~
运动运动		游一会儿泳	……跟……~

丢	打	回答	躺
~了……	~排球	~问题	~下
~在……	~篮球	~对了	~在……
别~了	~网球	~错了	~一会儿
	~太极拳	~得……	~好

旅行	练	教
去……~	~毛笔字	~唱歌
喜欢~	~……球	~滑冰/游泳
~了一个星期	~……~了一个小时	~会
		~一个小时

二　选择以上词语完成对话

Complete the following dialogues with the above words.

1 A：你喜欢_____？

　B：我喜欢爬山。

2 A：你会_____？

　B：会，我游得不错。

3 A：你知道今天是_____？

　B：听说是上海队对北京队。

　A：那这场比赛一定很好看。

4 A：你的毛笔字_____？

　B：我练了一个月了。

　A：有人_____？

　B：有，王兰是我的老师。

5 A：放假的时候你想做什么？

　B：我想跟朋友_____。

　A：你们去哪儿_____呢？

　B：去广州。

6 A：糟糕，我的钥匙_____！

　B：你想想，_____？

　A：可能是忘在教室里了。

7 A：我有点儿不舒服。

　B：你_____一会儿吧！

三　给括号内的词语找到适当的位置

Find the appropriate place in the sentence for each word given in the bracket.

1　你 A 下星期的篮球 B 比赛 C 吗？　　　　　（参加）

2　老师让他 A 一个很难 B 的问题 C。　　　　（回答）

3　他不会滑冰，可是游泳 A 游 B 好 C 极了。　（得）

4　他 A 练 B 画中国画练了 C。　　　　　　　（两个星期了）

5　我 A 打了 B 太极拳 C。　　　　　　　　　（一个小时）

四　判断正误（对的画√，错的画×）

True or false (Tick if true and cross if false).

（　　）1　我游泳得没有他好。

（　　）2　今天比昨天不冷。

（　　）3　我躺一会儿想休息休息。

（　　）4　我喜欢爬山，你也喜欢吧？

（　　）5　今天排球上海队比赛广东队。

（　　）6　他在练毛笔字，没在画画儿。

五　用"没有"改写句子

Rewrite the following sentences with "没有".

例：上海的冬天比北京暖和。
　　→北京的冬天没有上海暖和。

1　大卫比小张个子高。

　　→_____

2 玛丽比王兰喜欢滑冰。

→ _____

3 今天的风比昨天的大。

→ _____

4 那套纪念邮票比这套漂亮。

→ _____

5 他现在身体比以前好。

→ _____

6 他抽烟比我多。

→ _____

7 他游泳比我游得快。

→ _____

六　阅读理解

Reading comprehension.

小林和小高两个人比谁游泳游得好。

小林说，他五岁就学会游泳了，是爸爸教他的，现在他能在大海里游很远。他说，他也参加过多次比赛，他比一些运动员 (yùndòngyuán, athlete) 的成绩还好呢！

小高说，没有小林游得好的运动员大概不是游泳运动员！他说，他学游泳没有小林早，可是他是游泳运动员教的。小高说自己

40

能躺在水上休息，还能在水下很长时间不出来，他在水里就像鱼一样自由（zìyóu，freedom）。

我说："不能只听你们说，星期天你们比赛一下，看看谁真的游得更好。"

选择正确答案

① A. 小林和小高比赛游泳。

   B. 小林和小高都说自己游泳游得好。

   C. 小林和小高想比赛游泳。

② A. 小林和游泳运动员一起参加过考试。

   B. 小林比游泳运动员游得更快。

   C. 小林参加过游泳比赛。

③ 小高说他"在水里就像鱼一样自由"意思是_____。

   A. 他游泳游得好极了，想怎么样都可以

   B. 他像鱼那样游

   C. 他不能不在水里

④ A. "我"不想听他们说。

   B. "我"不知道他们谁游得好。

   C. 星期天有游泳比赛。

请你慢点儿说

一　熟读词语

Read repeatedly the following words.

比较	查	谈
～一下	～词典	～话
～难	～问题	～得怎么样
～容易	～（身）体	～了多长时间
～麻烦	～病房	～完了
……跟……～		

当	放心	记
～导游	很～	～生词
～老师	对……不/很～	～住
～经理	放不放心	～得/不住
～爸爸/妈妈		～在……
		没～住

清楚	能力	提高	收拾
听～	有～	～……能力	～房间
写～	没有～	～技术	～东西
说～	工作～		～好
看得/不～			不会～

二 选择以上词语完成对话

Complete the following dialogues with the above words.

1 A：他刚参加工作，你要多教教他。

  B：好的，他会慢慢地_____的。

  A：就让他在工作中提高吧。

2 A：刚才他说的话你_____吗?

  B：他说得太快，我没有都_____。

  A：没关系，回家再打电话问问他。

3 A：你要_____英语跟汉语的发音。

  B：是，我要多听听汉语录音，多比较。

4 A：小张，你结婚两年了，还没有孩子，什么时候
     _____啊?

  B：这得问我先生，他什么时候想_____。

5 A：你这房间太乱了!

  B：你别急，我一会儿就_____。

  A：那现在我就走，等你_____我再来。

6 A：你看那是几路车? 是不是307路?

  B：太远了，我也_____。

三 给括号内的词语找到适当的位置

Find the appropriate place in the sentence for each word given in the bracket.

1 我 A 打了 B 字 C，有点儿累。　　　　　　（一个小时）

2 我预习 A 明天的语法 B 要预习 C。　　　　　（半个小时）

3 你 A 给我 B 当 C 普通话老师。　　　　　　　（得）

4 A 能 B 修好这个洗衣机 C 吗?　　　　　　　（后天下午）

5 写汉字和翻译句子 A 都 B 是 C 难的。　　　　（比较）

6 你一会儿出来，一会儿进去。A 你 B 忙 C 呢?（什么）

四　改错句

Correct the mistakes in the following sentences.

1 我有一个姐姐，一个哥哥，在家里我当最小的。

→ _____

2 妈妈不放心我常常骑快车。

→ _____

3 除了我的手机能打电话以外，还能照相。

→ _____

4 我的书包里钱包以外，都是上课要用的。

→ _____

5 我去广州一个星期旅行了。

→ _____

6 他们谈话了一个小时。

→ _____

五　改写句子

Rewrite the following sentences.

例：这个房间很干净，还很方便。(除……以外)

→这个房间除了很干净以外，还很方便。

1 我应该买一个洗衣机，还应该买一个冰箱。　(除了……以外)

→ _____

2 全班同学，大卫没有来，别的同学都来了。　(除了……以外)

→ _____

3 他从星期五到星期天给朋友们当导游。(用上时量补语)

→ _____

4 她跟中国朋友学做包子。(两个小时)

→ _____

5 我每天早上从六点到六点半跑步。(用上时量补语)

→ _____

六　阅读理解

Reading comprehension.

小王的爷爷（yéye，父亲的父亲）今年七十岁了，身体很健康。他喜欢运动。每天早上小王还没起床，爷爷就穿上运动服，到外边锻炼（duànliàn，34 课）去了。他先走一会儿，也不休息，就开始打太极拳，打四十分钟。除了打太极拳以外，有时候他还慢跑，跑十几分钟。星期六、星期天他还常常带小王去游泳。

小王的奶奶（nǎinai，父亲的妈妈）也快七十岁了，身体也不错。她也喜欢运动，可是她不跟爷爷一起运动，她有自己的朋友，都是六十多岁的老人。她们早上在离家近的公园里唱歌、跳舞。这时候，她们像年轻（niánqīng，young）人一样。她们又健康又快乐。

这样的老人真幸福！有这样的爷爷、奶奶也真幸福！

选择正确答案

1 A. 小王的爷爷起得很早。

   B. 小王的爷爷不喜欢休息。

   C. 小王的爷爷跑得很慢。

2 A. 小王的奶奶不喜欢跟爷爷一起锻炼。

   B. 小王的奶奶跟朋友们一起锻炼。

   C. 小王的奶奶很年轻，她的朋友们也很年轻。

3 A. 小王的爷爷、奶奶和小王都很幸福。

   B. 每天锻炼的老人一定很幸福。

   C. 老人要是年轻了，就很快乐。

第三十一课 旅游（一）

那儿的风景美极了

熟读词语

Read repeatedly the following words.

游览	计划	办
～长城	～做什么	～事
～名胜古迹	不～	～手续
去……～	没有～	～完了
	什么～	～了多长时间

风景	热闹	有名
～怎么样	看～	～的地方
～很美	热热闹闹（形）	～的人
……（地方）的～	热闹热闹（动）	很～
		不太～

非常	开发	各
～好	～区	～人
～难	～……技术	～地
～喜欢		～国
～疼		～种～样

二　选择以上词语完成对话

Complete the following dialogues with the above words.

1　A：北京的名胜古迹你都＿＿＿＿＿＿＿＿吗？

　　B：除了长城以外都去过了。

2　A：放假一个星期，你＿＿＿＿＿＿＿＿＿＿＿＿＿？

　　B：没有计划，你呢？

　　A：我＿＿＿＿＿＿＿去桂林旅行。

3　A：你看，这儿有＿＿＿＿＿＿＿＿＿＿＿＿的小吃，吃什

　　　么呢？

　　B：我们挑几种吧，这三种不错。

4　A：长城的＿＿＿＿＿＿＿＿＿＿＿＿＿？

　　B：美极了，我照了不少相。

5　A：新年晚会＿＿＿＿＿＿＿？

　　B：热闹，大家唱歌、跳舞，很晚才回家。

三　给括号内的词语找到适当的位置

Find the appropriate place in the sentence for each word given in the bracket.

1　昨天 A 我们 B 划船划了 C 。　　　　　　（两个小时）

2　他走 A 出 B 饭店 C 了。　　　　　　　　（去）

3　A 从北京到上海 B 坐飞机要坐 C ？　　　（多长时间）

4　火车晚上八点开，A 现在 B 去 C ？　　　（来得及来不及）

5　我 A 买个花瓶 B 送给她。　　　　　　　（想）

四　判断正误（对的画√，错的画×）

True or false (Tick if true and cross if false).

（　　）1　星期天我爬山了两个小时。

（　　）2　我们看了一个半小时杂技，好看极了！

（　　）3　你找和子吗？她回去日本了。

（　　）4　我们看电视看一个小时了。

（　　）5　他滑冰了一会儿。

（　　）6　我们应该去游览一下北京大学。

（　　）7　你不是说去博物馆吗？怎么还不起床？

五　改写句子

Rewrite the following sentences.

例：我办手续办了二十分钟。
　　→你办手续办了多长时间？

1　昨天上午我打字打了一个小时。

　　→＿＿＿＿＿＿＿＿＿＿＿＿＿＿＿＿＿

2　晚上我要预习一个小时语法。

　　→＿＿＿＿＿＿＿＿＿＿＿＿＿＿＿＿＿

3　现在我能翻译一些句子了。

　　→＿＿＿＿＿＿＿＿＿＿＿＿＿＿＿＿＿

4　慢点儿说，我听得懂。

　　→＿＿＿＿＿＿＿＿＿＿＿＿＿＿＿＿＿

六　阅读理解

Reading comprehension.

中国有句话"活（huó，live）到老（lǎo，36课），学到老"，意思（yìsi，meaning）是，学习没有结束（jiéshù，end）的时候。上小学以前，要是在家里，爸爸、妈妈是老师；要是去幼儿园（yòu'éryuán，kindergarten），学的东西就更多。以后，小学学六年，中学学六年，上了大学又要学四五年。参加工作以后，要学习各种知识（zhīshi，knowledge）、技术。有些人上电视大学，有些人上业余（yèyú，spare time）大学。他们工作忙，家里事多，非常辛苦。除了这些人以外，有些六七十岁的老人（lǎorén，the elder），年纪大了，不工作了，就去上老年大学。他们学画画儿，学外语……学习热情（rèqíng，enthusiam）一点儿也不比年轻人差（chà，poor）。

我们现在学习汉语，不就是想多学习一些吗？我们要学习、学习、再学习。

选择正确答案

1 "活到老，学到老"的意思是_____。

　　A. 人老了的时候开始学习

　　B. 人可以活到老了的时候，也可以学习到老了的时候

　　C. 人从小时候到老了的时候都要学习

2 A. 孩子上小学以前都在家里。

　　B. 孩子上小学以前都去幼儿园。

　　C. 孩子上小学以前有些在家里，有些去幼儿园。

3 A. 老人的学习热情差。

　　B. 老人的学习热情不差。

　　C. 老人的学习热情不能和年轻人比。

第三十二课　旅游（二）

你的钱包忘在这儿了

一　熟读词语

Read repeatedly the following words.

办法	帮忙	退	卖
有～	给……～	～……票	～东西
想～	帮帮忙	～房间	～什么
好～	帮……的忙	～钱	～得……

广告	挂	停	讨论
做～	～在……	～车	～问题
听～	～好了	～在……	～语法
看～	～着	～着	～得……

以内	预订	检查
三天～	～（飞）机票	～身体
一个月～	～车票	～行李
长城～	～房间	安（全）检（查）
二十人～		

二　选择以上词语完成对话

Complete the following dialogues with the above words.

1 A：你行李这么多，要我＿＿＿＿＿＿＿？

　 B：不用，我拿得了。谢谢！

2 A：听说你要去桂林旅行，机票＿＿＿＿＿＿＿？

　 B：预订了，是明天上午十点的。

3 A：老师说，昨天学的语法有点儿难，今天上课的时候，让

　　 我们＿＿＿＿＿＿＿＿＿＿。

　 B：我很喜欢上讨论课。

4 A：上飞机以前要＿＿＿＿＿＿＿行李。

　 B：那我们先去安检吧。

5 A：你新买的画儿＿＿＿＿＿＿＿＿＿＿＿＿？

　 B：挂在大房间了。

6 A：外面＿＿＿＿＿＿＿一辆小汽车，是你的吗？

　 B：不是。我知道那儿不能停车。

7 A：这本书，你＿＿＿＿＿＿＿看得完吗？

　 B：三天太少了，一个星期能看完。

三　给括号内的词语找到适当的位置

Find the appropriate place in the sentence for each word given in the bracket.

1 小李要布置新家，我们去给 A 帮 B 忙 C。　　　　　（他）

2 A 衣柜里 B 她的新衣服 C。　　　　　　　　　　　（挂着）

3 火车站 A 十天以内 B 的票 C，你可以去买。　　　　（卖）

4　我想 A 退 B 这件新买 C 的毛衣，不知道可以不可以。

（了）

5　小王没进 A 图书馆 B 借 C 书。　　　　　　　　　　（去）

四　改错句

Correct the mistakes in the following sentences.

1　他进着礼堂去看电影。

→_____

2　商店里挂很多广告。

→_____

3　我出门的时候忘了关电视，现在电视还开呢，真糟糕！

→_____

4　星期天我要去学校给老师帮忙一天。

→_____

5　你看小李了吗？我找了他好长时间了。

→_____

五　改写句子（用上"……没有"）

Rewrite the following sentences with "……没有".

例：礼堂门外写着电影的名字。
　　→礼堂门外写着电影的名字没有？

1　图书馆外边停着小汽车。

→_____

2 他在开讨论会的时候看见张老师了。

→ _____

3 桌子上放着一个漂亮的花瓶。

→ _____

4 他家的门关着。

→ _____

5 钱包里放着电话卡。

→ _____

6 我听见外边有人说话。

→ _____

六　阅读理解

Reading comprehension.

　　小林快结婚了。今天她带我们去参观新房，新房已经（yǐjīng，36课）布置好了。

　　走进客厅（kètīng, living-room），就看见窗户上贴（tiē, 37课）着大大的红"囍"（xǐ）字，墙（qiáng, 37课）上挂着他们的结婚照片，屋子（wūzi, room）里的东西都是新买的。电视、电脑桌、电脑都在客厅放着。卧室（wòshì, 睡觉的房间）里有一张大床，旁边放着一个大衣柜。卫生间（wèishēngjiān, bathroom）里放着洗衣机，冰箱放在厨房（chúfáng, 做饭的房间）。

　　我们都觉得新房又漂亮，又舒服。工作一天回到这个家，看看电视、喝喝茶，打开电脑给朋友发发电子邮件，做点儿喜欢吃的饭菜……到了星期六、星期天，约好朋友来玩儿玩儿，多高兴啊！

小林的新房真不错，我们祝她新婚愉快，生活幸福！

选择正确答案

1 A. 小林结婚很快。

B. 小林马上要结婚了。

C. 小林结婚了。

2 A. 这个新房是一套。

B. 新房是睡觉的屋子。

C. 新房是和客人见面的屋子。

3 A. 他们看新房的时候看了看电视，喝了喝茶。

B. 他们看新房的时候是星期六、星期天。

C. 要是工作一天回到家，可以看看电视、喝喝茶；要是星期六、星期天，可以约朋友来……

第三十三课 旅游(三)

有空房间吗

一 熟读词语

Read repeatedly the following words.

空	满	饿	渴
~房间	住~	~极了	~极了
~教室	坐~	非常~	~死了
~盒子	写~	~不~	~不~
~箱子	放~		

洗澡	衬衫	裙子	裤子
洗（一）个澡	穿~	穿~	穿~
洗洗澡	一件~	一条~	一条~
洗完澡了	白~	红~	买~

餐厅	质量	旅馆	终于
去~	~好/坏	~的房间	~来了
在~	空调~	住~	~完了
进~	东西~	预订~	~懂了
			~修好了

二　选择以上词语完成对话

Complete the following dialogues with the above words.

1 A：你们旅馆还_____？

 B：没有了，都_____。

2 A：今天去参加玛丽的生日晚会，你说我是穿_____

  还是穿_____？

 B：穿裙子吧，裙子比_____漂亮。

3 A：我_____，有水吗？

 B：有，也有茶，你喝什么？

4 A：刚打完保龄球，真想_____个_____。

 B：可以，现在有热水。

5 A：这个箱子的_____，刚买来就坏了。

 B：去商店问问能不能退，换一个也可以。

6 A：你_____，等了你半个小时了！

 B：对不起，让你久等了。

三　给括号内的词语找到适当的位置

Find the appropriate place in the sentence for each word given in the bracket.

1 只要你说得慢一点儿，A 我 B 听得 C 懂。　　　　（就）

2 我走进礼堂的时候，看见 A 里面 B 坐 C 了人。　　（满）

3 饿死我了，先让我 A 吃 B 东西 C 吧。　　　　（一点儿）

4 这个酒瓶太高，A 放 B 进冰箱 C 去。　　　　　（不）

5 我们 A 预订 B 好了一个 C 干净、舒服的房间。　（终于）

四　改错句

Correct the mistakes in the following sentences.

1 这个车太大，门太小，不开进去。

　→＿＿＿＿＿＿＿＿＿＿＿＿＿＿＿＿＿＿＿＿＿＿＿＿

2 你看，她穿的漂漂亮亮地。

　→＿＿＿＿＿＿＿＿＿＿＿＿＿＿＿＿＿＿＿＿＿＿＿＿

3 打开空调吧，我们可以凉凉快快休息。

　→＿＿＿＿＿＿＿＿＿＿＿＿＿＿＿＿＿＿＿＿＿＿＿＿

4 只要不下雨，就我们去划船。

　→＿＿＿＿＿＿＿＿＿＿＿＿＿＿＿＿＿＿＿＿＿＿＿＿

5 刚运动完，我想先洗澡洗澡再吃饭。

　→＿＿＿＿＿＿＿＿＿＿＿＿＿＿＿＿＿＿＿＿＿＿＿＿

6 他买了一条白衬衫。

　→＿＿＿＿＿＿＿＿＿＿＿＿＿＿＿＿＿＿＿＿＿＿＿＿

五　仿照例句造句

Make sentences following the example.

例：如果天气好，我们一定去公园玩儿。（只要……就……）
　→只要天气好，我们就去公园玩儿。

1 这个包太小，书不能放进去。（V 不……）

　→＿＿＿＿＿＿＿＿＿＿＿＿＿＿＿＿＿＿＿＿＿＿＿＿

2 这辆车满了，我不能上去了。（V 不……）

→ _____

3 有地图，我能找到那个地方。（只要……就……）

→ _____

4 空调的质量好，我买。（只要……就……）

→ _____

5 箱子不大，能放进车里。（只要……就……）

→ _____

六　阅读理解

Reading comprehension.

星期天，我和张英要去参加小林的婚礼（hūnlǐ, wedding），我们穿什么好呢？张英说，只要穿得干净、好看就可以，衣服质量怎么样没关系。我问她，是穿裤子呢，还是穿裙子。她说当然是穿裙子。我试了试我的裙子，都有点儿瘦了。张英说，她的裙子颜色都不太好。这样，我们就去商店了，想买两条合适（héshì，40 课）的裙子。

商店里东西多，人也多。我们找到卖衣服的地方，那儿挂满了各式各样的裙子，长的、短的，五颜六色，真不知道挑哪个了。

我们让售货员拿了几条，试了试，还不错，终于买到了我们想买的裙子。星期天我们可以穿得漂漂亮亮的，高高兴兴地去参加小林的婚礼了。

.选择正确答案

1 A. 张英她们两个人要干净、好看。

B. 张英她们两个人要穿得干净、好看。

C. 衣服要干净、好看。

2 A. "我" 瘦了。

B. 裙子变小了。

C. "我" 胖了。

3 "真不知道挑哪个了" 意思是_____。

A. 裙子的样子、颜色太多，不能决定（juédìng）挑哪个

B. 不知道在哪儿挑裙子

C. 不知道卖裙子的地方

4 A. 星期天我们很高兴地参加了小林的婚礼。

B. 星期天我们穿得很漂亮。

C. 我们买到了参加婚礼要穿的裙子。

我头疼

一 熟读词语

Read repeatedly the following words.

开始	打针	受
～上课	打一针	～伤
～发烧	打不打针	～得/不了
～锻炼	给……～	

锻炼	手术	情况
～身体	做～	工作～
～一会儿	做了一次/个～	学习～
喜欢～		生活～
		交通～

重	锁	伤
～死了	～门	摔～
太～	～好柜子	重～
不～	修（理）～	～得……

二　选择以上词语完成对话

Complete the following dialogues with the above words.

1 A：出门的时候别忘了把门＿＿＿＿＿＿＿。

B：放心吧，忘不了！

2 A：早上他一起来，就去＿＿＿＿＿＿＿。

B：我知道，他每天都跑步。

3 A：小王住院做了＿＿＿＿＿＿＿。

B：手术做得不错，快出院了。

4 A：听说小张昨天下雨的时候＿＿＿＿＿＿＿，是吗？

B：是，可是伤得不重，没关系。

5 A：大夫，打不打针？

B：不用＿＿＿＿＿＿＿，吃点儿药就好了。

6 老师：现在＿＿＿＿＿＿＿，请打开书，念生词。

学生：可以看拼音（pīnyīn）吗？

老师：可以。

三　给括号内的词语找到适当的位置

Find the appropriate place in the sentence for each word given in the bracket.

1 他 A 把学习情况 B 告诉爸爸妈妈 C。　　　　　　（要）

2 你 A 一定 B 把护照 C 放好。　　　　　　（得）

3 一下课，A 他们 B 都去操场 C 锻炼了。　　　　　　（就）

4 请你 A 试的 B 表 C 给我看看。　　　　　　（把）

5 大夫 A 手术的情况 B 告诉了 C 小王的爱人。　　　　　　（把）

四 改错句

Correct the mistakes in the following sentences.

1 王经理把文件看。

→ _____

2 大夫请他把嘴张，要看看他的嗓子。

→ _____

3 她家门一进就说："妈妈，快吃饭吧，我饿死了！"

→ _____

4 只要休息休息，伤才能好。

→ _____

5 她打针了两天，现在好多了。

→ _____

6 请你把灯开，我想看看书。

→ _____

五 把下面的句子改成"把"字句

Change the following sentences into the "把" -sentences.

例：他喝了那杯茶。
　　→他把那杯茶喝了。

1 他办完了出院手续。

→ _____

2 他弄伤了手。

→ _____

3 早上锻炼的时候，他丢了自行车钥匙。

→ _____

4 你吃了那个橘子吧！

→ _____

5 他买好了去上海的飞机票。

→ _____

六　阅读理解

Reading comprehension.

　　前几天下大雪，小李骑车摔倒（dǎo，35 课）了，把腿（tuǐ，leg）摔伤了，伤得比较重，走不了路了。同学们把他送到医院，大夫一检查，就让他住院。同学们帮他办了住院手续，护士把他送到病房（bìngfáng，39 课），让他躺好。

　　大夫说，小李的腿得做手术，手术以后很快就会好的。这个医院的水平比较高，大夫的技术也好，同学们让小李放心。同学们说，一有空儿就会来医院看他。他要是有事，就给同学们打电话，想吃什么，想看什么书和杂志（zázhì，35 课），同学们就给他送来。上课的事别着急（zháojí，35 课），伤好了，出院了，老师和同学们会帮助他的。

　　小李说，谢谢大家，他一定听大夫的话，早点儿把腿治（zhì，cure）好，早点儿出院，回学校和同学们一起学习，一起锻炼。

选择正确答案

1 A. 小李腿受伤了，不能走路了。

　　B. 小李不想走路了。

　　C. 小李想躺在医院，不走路了。

2 A. 小李给同学们打电话，说想吃东西，想看书和杂志。

　　B. 同学们让小李打电话，同学们会给他送东西。

　　C. 小李给同学们打电话，同学们给他送来了东西。

3 A. 小李伤好了，出院了。

　　B. 小李回学校和同学们一起上课，一起锻炼了。

　　C. 小李想早一点儿治好腿，早一点儿出院。

你好点儿了吗

Read repeatedly the following words.

撞	保证	戴
～伤	～没问题	～眼镜
～倒	有/没（有）～	～花
被……～	～能……	～手表

着急	准时	什么的
别～	～上课	手机、电脑～
很～	～开会	唱歌、跳舞～
为……～	～送到	喝点儿咖啡～

被	看样子	倒
～摔碎	～身体不错	摔～
～弄脏	～要下雨了	刮～
～……用坏了	～很高兴	打～
～……（预）订完了	～病了	

二 选择以上词语完成对话

Complete the following dialogues with the above words.

1 A：这种空调质量好吗？

B：＿＿＿＿＿＿＿＿＿＿＿＿＿＿，你放心吧！

2 A：下午两点，你一定要把文件送到张老师办公室。

B：好的，我一定＿＿＿＿＿＿＿＿＿＿＿＿。

3 A：现在几点了？

B：我没＿＿＿＿＿＿＿＿＿，看看手机吧！

4 A：丽林饭店还有空房间吗？

B：没了，都＿＿＿＿＿＿＿＿＿＿＿＿＿＿。

5 A：刮风了，天也黑了，＿＿＿＿＿＿＿＿＿＿＿＿＿＿＿＿，快

走吧！

B：是啊，下雨以前常常刮风。

6 A：我们去咖啡馆儿＿＿＿＿＿＿＿＿＿＿＿＿＿＿＿＿，好吗？

B：我不喜欢喝咖啡，也不习惯喝（牛）奶，还是去茶馆喝

茶吧！

三 给括号内的词语找到适当的位置

Find the appropriate place in the sentence for each word given in the bracket.

1 那个孩子 A 手 B 毛笔 C 弄黑了。 （被）

2 现在她正 A 买不到 B（飞）机票 C 着急呢！ （为）

3 我忘了关窗户，A 花 B 风 C 刮倒了。 （叫）

4 只要是周末，A 他 B 和朋友们一起 C 去喝酒、唱卡拉 OK 什么的。 （就）

5 他 A 汽车 B 停在 C 那棵 （kē , *measure word*） 大树下边了。

（把）

四 改错句

Correct the mistakes in the following sentences.

1 他的身体一年一年好。

→ _____

2 那个随身听买的人是我弟弟。

→ _____

3 车开得太快，那棵树叫撞倒了。

→ _____

4 那儿离这儿很近，不用坐车，我们走去着吧。

→ _____

5 我看样子他很着急，不知道为什么。

→ _____

6 刚买的画报被我忘出租车了。

→ _____

五　　把下面的句子改成"被"字句

Change the following sentences into the "被"-sentences.

> 例：他把我的包借走了。
> →我的包被他借走了。

1 打球的时候，把他撞倒了，眼镜也摔坏了。

→＿＿＿＿＿＿＿＿＿＿＿＿＿＿＿＿＿

2 小狗把孩子的牛奶喝了。

→＿＿＿＿＿＿＿＿＿＿＿＿＿＿＿＿＿

3 她把妹妹关在门外了。

→＿＿＿＿＿＿＿＿＿＿＿＿＿＿＿＿＿

4 邮局把他寄给玛丽的信退回来了。

→＿＿＿＿＿＿＿＿＿＿＿＿＿＿＿＿＿

5 他弄丢了电影票，不能看电影了。

→＿＿＿＿＿＿＿＿＿＿＿＿＿＿＿＿＿

六　　阅读理解

Reading comprehension.

　　今天是安文又着急、又感激、又高兴的一天。你知道为什么吗？

　　今天是星期天，安文吃完早饭，想去买点儿水果什么的。这时候，她习惯地去拿自己的小包，可是小包不见了！小包呢？丢了吗？安文开始着急了。小包里有钱、有电话卡、交通卡，还有男朋友刚寄来的照片……小包怎么会没有了呢?

她想了想,昨天下午和朋友们去唱卡拉OK,天黑了才坐出租车回来,觉得又饿又累,在宿舍吃了一点儿东西,洗了个澡就睡了。小包一定是被忘在出租车上了!她找出昨天坐车的发票(fāpiào, invoice),上边有出租车公司的电话号码,她就给公司打了个电话,说了昨天坐车的情况。

公司的人说,他们也正在想办法找她呢!安文坐的那辆车的司机(sījī, driver)把安文的小包交到公司了。安文听说以后,高兴得不知道说什么好,她放下电话就出门了。她要去出租车公司感谢他们,拿回被自己丢了的小包。

选择正确答案

1 安文着急是因为_____。

    A. 小包丢了

    B. 她想快一点儿去买水果什么的

    C. 她想看男朋友的照片

2 安文找出租车的发票,找到电话号码,是要_____。

    A. 预订出租车

    B. 告诉出租车公司自己的情况

    C. 找自己的小包

3 "高兴得不知道说什么好"意思是_____。

    A. 不知道汉语怎么说

    B. 太高兴了

    C. 不知道公司的人说了什么

第三十六课 **告别**

我要回国了

一　熟读词语

Read repeatedly the following words.

告别	打扰	照顾
～北京	～……休息	～孩子
向……～	～……一下儿	～老人
跟……～	～……了	～病人
		～得……

够	准备	继续
吃～了	～考试	～学习
喝～了	～结婚	～工作
……不～了	～好了	～讨论
……得很不～		

打算	离开	一边……一边……
～去旅行	～学校	一边工作一边学习
有(没有)～	～家	一边喝茶一边聊天儿
～做……	离得/不开	一边听音乐一边看报

已经	老	机会
～寄走了	～刮风	有(没有)～
～懂了	～下雨	好～
～修好了	～发烧	趁……～

71

二　选择以上词语完成对话

Complete the following dialogues with the above words.

1　A：你就要回国了，去_____？

　　B：去了，告别的时候，同学们都说让我多跟他们联系。

2　A：对不起，_____，王红是住在这儿吗？

　　B：是住在这儿。

3　A：刘丽上班，孩子还小，现在是她妈妈帮助_____

　　　　_____。

　　B：家里有老人就是好。

4　A：听说小林要结婚了，不知道他们_____。

　　B：房子和东西都准备好了。

5　A：你毕业以后，还_____汉语吗？

　　B：学，不学就忘了。

6　A：放假的时候，_____？

　　B：哪儿也不去，在家休息。

7　A：公司让我出国学习一个月。

　　B：这是一个_____，你要好好学习。

三　给括号内的词语找到适当的位置

Find the appropriate place in the sentence for each word given in the bracket.

1　小张 A 去上海 B 出差的 C 机会去看看老朋友。　　　（趁）

2　他 A 第一次 B 家 C 去国外生活，有点儿不习惯。　　（离开）

3 他头疼是 A 昨天 B 晚上 C 没睡好觉。 　　　　（因为）

4 他 A 在北京 B 住了 C，已经习惯了。 　　　　（一年）

四．改错句

Correct the mistakes in the following sentences.

1 他来十分钟教室了。

→ _____

2 他们聊天了半个小时。

→ _____

3 放假的时候，我们班有同学去上海，有同学去桂林。

→ _____

4 我快回国了，明天去告别你。

→ _____

5 好长日子没有看见他了。

→ _____

五　仿照例子造句（用上所给词语）

Make sentences with the given words following the example.

> 例：走路　　打手机　　一边……一边……
> →他一边走路，一边打手机。

1 看画报　听音乐　一边……一边……

→ _____

2 天气好　去公园看花儿　趁

　　　→＿＿＿＿＿＿＿＿＿＿＿＿＿＿＿

3 这些杂志　我妹妹的　我的　有的……有的……

　　　→＿＿＿＿＿＿＿＿＿＿＿＿＿＿＿

4 离开　商店　半个小时

　　　→＿＿＿＿＿＿＿＿＿＿＿＿＿＿＿

5 前　走　就　商店　向

　　　→＿＿＿＿＿＿＿＿＿＿＿＿＿＿＿

六　阅读理解

Reading comprehension.

　　和子快回国了。他们班五六个同学约好，星期六下午到和子宿舍跟和子一起做饭，在她那儿开一个晚会。

　　下午四点，同学们来了。有的买了水果，有的买了啤酒，有的买了鱼、肉（ròu, meat）、菜。到了以后，他们就忙起来。有的洗菜、洗水果；有的搬（bān, 38 课）桌子、搬椅子、布置房间。大家一边忙着，一边聊天儿。

　　有的说，刘京应该做一个北京风味儿（fēngwèir, flavor, style）的菜，这样和子才会记住他的名字。刘京说，和子应该做一个日本菜，大家吃了才会更了解（liǎojiě, 39 课）她。同学们就这样高高兴兴、热热闹闹地聊着，准备着他们的晚会。

　　和子说："我来北京这么长时间，同学们对我像兄（xiōng, elder brother）弟姐妹一样，趁今天这个机会，我要好好谢谢大家。"她一边说一边走进厨房，去做日本菜了。

选择正确答案

1 A. 同学们在和子那儿开会。

　B. 和子很快就回国了。

　C. 同学们跟和子一起吃晚饭。

2 A. 一些同学聊天儿，一些同学做事。

　B. 同学们一起买了很多东西。

　C. 同学们买了不一样的东西。

3 A. 同学们聊得很热闹。

　B. 晚会很热闹。

　C. 同学们准备很热闹。

4 A. 和子有兄弟姐妹。

　B. 同学们对和子很好。

　C. 和子跟她的兄弟姐妹很像。

真舍不得你们走

Read repeatedly the following words.

欢送	取得	旅游	贴
～会	～联系	～公司	～邮票
热情～	～签证	去……～	～画儿
～……	～……成绩	在……～	～广告
			～好

留	该	舍不得
～电话号码	～吃饭了	～离开
～地址	～休息了	～吃
～给……	～你/我/他了	～用
		～花（钱）

热情	水平	深
～帮助	生活～	友谊很～
～介绍	技术～	水很～
不～	汉语～	～（颜）色

二　选择以上词语完成对话

Complete the following dialogues with the above words.

1 A：下星期大卫回国，我们给他＿＿＿＿＿＿＿＿＿＿＿＿。

B：好，就在教室开吧！

2 A：你去美国旅行，＿＿＿＿＿＿＿＿＿＿＿＿＿？

B：取得签证了。

3 A：生日蛋糕妈妈＿＿＿＿＿＿＿＿吃，她要＿＿＿＿＿＿＿孩
子们。

B：当妈妈的都是这样。

4 A：十二点了，＿＿＿＿＿＿＿＿＿，你怎么还看书呢？

B：你要是不说，我把吃饭都忘了！

5 A：你看，这件衬衫怎么样？

B：＿＿＿＿＿＿＿有点儿＿＿＿＿＿＿，你穿深色的不
太合适。

6 A：你的＿＿＿＿＿＿＿＿越来越高了。

B：哪儿啊，没有你提高得快。

三　给括号内的词语找到适当的位置

Find the appropriate place in the sentence for each word given in the bracket.

1 小王 A 通知 B 贴在 C 教室墙上了。　　　　　　（把）

2 A 雪 B 下得 C 大。　　　　　　　　　　　　（越来越）

3 她 A 花 B 那么多钱 C 买衣服。　　　　　　　（舍不得）

4 你累了一天了，A 回家 B 好好 C 休息休息了。　（该）

77

5 他 A 毕业以前 B 要去公司 C 一个月。　　　　　（实习）

6 妈妈，今天我回来得晚，您 A 把饭 B 给我 C 在桌子上吧。

（留）

四　改错句

Correct the mistakes in the following sentences.

1 她挂衣服在柜子里。

→ _____

2 他在玛丽的本子上留电话号码。

→ _____

3 同学们交练习本给老师了。

→ _____

4 桂林的风景很精彩。

→ _____

5 参观浦东的时候，导游给我们介绍得很热情。

→ _____

五　改写句子

Rewrite the following sentences.

例：冬天了，天气一天比一天冷。（越来越）
　　→冬天了，天气越来越冷了。

1 他病了，他没有休息。（虽然……可是……）

→ _____

2 人们的生活水平一年比一年高了。(越来越)

　　→＿＿＿＿＿＿＿＿＿＿＿＿＿＿＿＿＿＿＿＿＿

3 黑板上有几个老师写的句子。(把)

　　→＿＿＿＿＿＿＿＿＿＿＿＿＿＿＿＿＿＿＿＿＿

4 王兰要用照相机，我借给她用了。(把)

　　→＿＿＿＿＿＿＿＿＿＿＿＿＿＿＿＿＿＿＿＿＿

5 已经十一点了，睡觉的时间到了。(该)

　　→＿＿＿＿＿＿＿＿＿＿＿＿＿＿＿＿＿＿＿＿＿

六　 阅读理解

Reading comprehension.

现在生活越来越方便。

出门坐车，有地铁、出租车、公共汽车（gōnggòng qìchē，bus）。公共汽车虽然人多，可是很便宜。

买东西，有各种各样的商店、超市。生活用的、学习用的，吃的、喝的，中国的、外国的，只要舍得花钱，什么都能买到。

在外边吃饭，大大小小的饭馆儿一条路上有好几家。想吃中国菜，东、西、南、北的风味儿都有；想吃外国菜，欧洲、美国、日本、韩国的也不少。

要是想到外边玩儿，可以去远的地方，也可以去近的公园；可以去游览名胜古迹，也可以到城外走走。

现在天气越来越暖和，我们该告别冬天，去看看春天的风景了。朋友们，快走出家门吧！

选择正确答案

1. A. 坐公共汽车很便宜。

   B. 出门一定要坐车。

   C. 坐公共汽车不好。

2. A. 买东西要舍得花钱。

   B. 应该在各种各样的商店、超市买东西。

   C. 商店多，东西也多，买东西很方便。

3. A. 人们喜欢在外边吃饭。

   B. 要是在外边吃饭，饭馆儿、饭菜都很多。

   C. 饭馆儿有的大，有的小，不一样。

4. A. 外边比家里暖和，快点儿出去吧。

   B. 春天到了，快去看风景吧。

   C. 朋友们很快走出了家门。

这儿托运行李吗

一　熟读词语

Read repeatedly the following words.

打听	运	算	搬
~一个人	~行李	~对了	~桌子
~一件事	~东西	~完了	~椅子
~到了……	~到……	~得很清楚	~家
			~得/不动

取	交流	为了
~包裹	技术~	~方便顾客
~行李	国际~	~身体健康
~钱	……~中心	~学好……
~衣服		

二　选择以上词语完成对话

Complete the following dialogues with the above words.

1　A：我说的那本新书在哪儿卖，你＿＿＿＿＿＿＿＿吗？

　　B：小李说，学校外边的书店就卖。

② A：这么重的桌子你_____吗？我帮你搬吧。

　　B：那太好了！

③ A：我洗的衣服什么时候_____？

　　B：明天就可以。

④ A：你每天早上都跑步，星期天也不多睡一会儿，真辛苦！

　　B：_____，就要每天锻炼嘛！

⑤ A：我们今天花了六百五十三块钱，你看我_____？

　　B：对，一分钱也不差。

三　给括号内的词语找到适当的位置

Find the appropriate place in the sentence for each word given in the bracket.

① 你 A 把包裹上的地址 B 写得 C 更清楚一些。　　（应该）

② 你 A 一定要 B 大夫说的 C 时间吃药。　　（按照）

③ 这个包有三四十斤重，我想你 A 大概 B 拿 C 动。（不）

④ 为了让爸爸、妈妈放心，她每个星期都 A 给他们发 B 电子邮件 C。　　（好几次）

⑤ 你 A 帮我 B 把行李 C 放到上边吗？　　（可以）

四　改错句

Correct the mistakes in the following sentences.

① 因为顾客们方便，商店里放了一些长椅（子）。

　　→_____

2 他的行李里不但有衣服，和有书。

→ _____

3 钱快花完了，下午我要去银行拿钱。

→ _____

4 不但那儿古迹很多，风景而且很美。

→ _____

5 刚见面的时候，我想不出他的名字来了，现在想出来了。

→ _____

五　**仿照例子造句（用上所给词语）**

Make sentences with the given words following the example.

例：寄包裹　海运行李　（不但……而且……）
→他不但要寄包裹，而且要海运行李。

1 价目表　交钱　（按照）

→ _____

2 天气好　坐飞机　（的话）

→ _____

3 把　拿下去　那本书　就　不超重　（的话）

→ _____

4 来中国　汉语　学习　是　（为了）

→_____

5 汉语　学习　喜欢　喜欢　唱　中文歌　（不但……
而且……）

→_____

六　阅读理解

Reading comprehension.

　　下个月张老师要去韩国开一个国际汉语教学经验（jīngyàn，ex-
perience）交流会，他很高兴。他想，趁开会的机会要和好久没见面
的老朋友们聚（jù，get-together）一聚。

　　现在，张老师得先去韩国大使馆办签证。大使馆周末不办公，
今天已经是星期五了，今天不去的话，就要等到下星期了。张老师
觉得应该早一点儿把签证办好，要是办晚了，不能准时去开会，就
不好了，所以，今天上午他就去韩国大使馆了。

　　为了准备得充分（chōngfèn，full）一些，几天以前，张老师
就打听好了韩国大使馆的地址。他觉得最方便、最省（shěng，
save）时间的方法是坐地铁，他就坐地铁去了。

　　张老师到大使馆的时候，等着办签证的人还不多。很快，就该
他了。签证办得很顺利，再过一个星期就可以拿到了。他还打听好
了可以带多少行李。虽然张老师自己的行李不多，可是他要给朋友
带一些书，书比较重，行李超重的话，比较麻烦。还好，不会超
重。张老师终于放心了。

选择正确答案

1 A. 张老师现在在韩国。

    B. 张老师见到了老朋友。

    C. 张老师还没到韩国。

2 A. 今天张老师不去大使馆，他下星期去。

    B. 张老师签证办晚了，不能准时去开会了。

    C. 今天张老师去大使馆了。

3 A. 张老师的行李准备得很充分。

    B. 张老师去办签证的事准备得很充分。

    C. 张老师开会的事准备得很充分。

4 A. 张老师的行李不会超重。

    B. 张老师的行李超重，比较麻烦。

    C. 张老师不知道可以带多少行李。

不能送你去机场了

一 熟读词语

Read repeatedly the following words.

替	添	转
～朋友办事	～麻烦	～车
～……交……费	～衣服	向左～
～……取包裹	～(一)点儿……	～给……

了解	轻	乱
～……情况	～一点儿	刮～了
对……很～	特别～	弄～了
对……不～	轻轻地……	房间里太～
		写得太～

特别	报名	安静
很～	～参加……	很～
～疼	～去……	请～
～热闹	报没报名	～地……
～乱	报不报名	

结实	随身	重新
身体很～	～带着	～了解
不～	～带的	～布置
～(一)点儿的		～弄一下

二　选择以上词语完成对话

Complete the following dialogues with the above words.

1 A：那件衣服有点儿贵，可是样子_____，我想买。

B：是跟别的不一样，那就买吧！

2 A：这几个菜够吗？要不要再_____？

B：不用了，多了吃不了！

3 A：孩子已经睡了，你_____关门。

B：我知道。

4 A：这双鞋真_____，才穿了两个星期就坏了。

B：再买一双_____吧。

5 A：妈妈要跟朋友们去旅行。

B：年纪大了，别忘了让她_____点儿药。

6 A：我在中国，不但要学习汉语，还要_____。

B：那你应该多去各地走走、看看，多和中国人聊聊。

三　给括号内的词语找到适当的位置

Find the appropriate place in the sentence for each word given in the bracket.

1 刘老师 A 明天 B 张老师 C 给我们班上课。　　　　（替）

2 请你 A 把这封信 B 给王兰 C。　　　　（转）

3 他把 A 带的 B 两本 C 杂志送给火车上认识的朋友了。

（随身）

4 这个房间我布置得不好，A 你 B 帮我 C 布置一下吧。

（重新）

5 我去看他的时候，A 他 B 安静地 C 躺着呢。　　　　（正）

四　改错句

Correct the mistakes in the following sentences.

1 你今天或者明天去取照片？

→ _____

2 你的手提包不如我的旧。

→ _____

3 旅行的时候，我和玛丽住在一个房间，和子住在别的一个房间。

→ _____

4 你报名下星期的足球比赛了吗？

→ _____

5 以前买的这双鞋很结实，我要重新买一双这样的鞋。

→ _____

五　仿照例子造句（用上所给词语）

Make sentences with the given words following the example.

> 例：我有五本汉语书，他有十本汉语书。（不如）
> →我的汉语书不如他多。

1 今天 16℃，昨天 20℃。（不如）

→ _____

2 坐地铁去用一个小时，坐汽车去用一个半小时。（不如）

→ _____

3 大夫说，今天住院可以，明天住院也可以。（或者）

→ _____

4 在上海，我们参观了浦东，也参观了南京路。（不但……而且……）

→ _____

六　阅读理解

Reading comprehension.

现在交通越来越方便，出国旅游、出国留学和出国工作的人越来越多，各国人民之间（zhījiān，between）的交往（jiāowǎng，communication）也越来越多。

欧美人在北京，去长城、看故宫、吃烤鸭；在上海，逛（guàng,stroll）南京路、游（览）豫园、吃小吃；在桂林，看山水风景、喝中国茶。他们在愉快地游览名胜古迹的时候，就学习了中国文化，了解了中国和中国人。这是多好的机会啊！

中国人到欧美也是一样。参观博物馆，看各种各样的展览，尝有名的法国大菜，吃美味（měiwèi，delicacy）的意大利面条儿（miàntiáor，noodle）。坐在街边咖啡馆儿喝喝咖啡、红茶，再买一瓶可口可乐，体验（tǐyàn，experience）另外一种生活。

欧美人把做饺子、包子的方法带回了家，中国人新添了咖啡、可口可乐这样的饮料。在人与人的谈话中，在吃饭、穿衣的生活里，人们认识了新朋友，学到了新东西，交流了文化，加（jiā，add）深了友谊。

选择正确答案

1 A. 人民之间 (zhījiān, between) 的交往和交通有关系。

B. 人民之间的交往和旅游没关系。

C. 人民之间的交往和留学没关系。

2 A. 参观游览是吃烤鸭的好机会。

B. 参观游览是吃小吃的好机会。

C. 参观游览是交流文化的好机会。

3 "另外一种生活" 的意思是_____。

A. 和自己的生活不一样的生活

B. 别人的生活

C. 别的地方的生活

4 最后一段的意思是_____。

A. 欧美人喜欢中国饭

B. 中国人喜欢外国饮料

C. 各国人民在交往中交流了文化，加深了友谊

祝你一路平安

一 **熟读词语**

Read repeatedly the following words.

跑	挤	耽误	努力
~得很快/慢	~公共汽车	~学习	~工作
~得/不动	太~	~工作	~学习
~出去	~得……	~了火车	不~
		~了半个小时	

问候	合适	认真	进步
~你家里人	~的时间	~学习	(没)有~
替我~……	很~	~工作	~很快
	不~	~考虑	~不大

考虑	希望	平安
~一下	~你常来电话	一路~
~得怎么样	(没)有~	平平安安回家来
不~	我们的~	

二　选择以上词语完成对话

Complete the following dialogues with the above words.

1 A：我在街上看见写着这样的话："高高兴兴上班去，_____
_____。"很有意思。

　　B：这是说，要注意交通安全。

2 A：今天的课我认真听了，还是有的地方听不懂。

　　B：你住院_____，别着急，我们帮
助你。

3 A：咱们的旅行计划你_____？

　　B：还没考虑好。

4 A：这孩子学习_____，是因为他_____。

　　B：是啊，他玩儿电脑玩儿得太多了。

5 A：你什么时候跟我去看展览呢？

　　B：今天没空儿，再找一个_____吧。

6 A：你快点儿啊，怎么不跑了？

　　B：太累了，_____了，停下来休息一会儿吧！

三　给括号内的词语找到适当的位置

Find the appropriate place in the sentence for each word given in the bracket.

1 风这么大，你怎么 A 把 B 帽子 C 戴上？　　　　　　（没）

2 小林说，他 A 把生词 B 复习 C 完，就不看电视。（不）

3 下了班，A 我们 B 去医院 C 看小王。　　　　　　　（就）

4 A 现在 B 上班还有 C 十分钟。　　　　　　　　　　（离）

5 A 你 B 把东西 C 忘在飞机上了。　　　　　　　　　（别）

四　改错句

Correct the mistakes in the following sentences.

1 在商店，我挑好帽子了，就去交钱。

→ _____

2 我把手提包没忘在宾馆。

→ _____

3 过马路的时候，要注意交通平安。

→ _____

4 你回到家，替我问好你爸爸、妈妈。

→ _____

5 我想你早一点儿出院，回到学校。

→ _____

五　仿照例子造句（用上所给词语）

Make sentences with the given words by following the example.

> 例：昨天中午我们吃完饭以后，马上去看展览了。（一……就……）
> →昨天中午我们一吃完饭，就去看展览了。

1 他回到家，马上打开了电脑。（一……就……）

→ _____

2 他没收拾好行李。(把)

→ _____

3 要是汽车太挤，那么坐租车吧。(……的话，就……)

→ _____

4 足球比赛的时候，他的腿受伤了，他还继续参加比赛。(虽然……可是……)

→ _____

六　　阅读理解

Reading comprehension.

今天大卫和李成日都回国。虽然他们不是一个国家的，可是为了去机场送他们的同学省（shěng, save）时间，他们就预订了起飞时间差不多的（飞）机票。

我们有四个同学送他们。早上八点，我们到留学生楼门口的时候，他们已经拿着行李出来了。门口有两辆出租车等着。两个司机（sījī, driver）热情地替他们把行李放到车上，我们就上车了。一个车里坐三个人，正合适。

到了机场，我们就找来小车，把行李放好，去办托运行李和登（dēng, board）机的手续。他们俩（liǎ, 两个人）在海关办了出境手续，安检以后，就得去登机口等着了。

我们不能进去送他们，大家都有点儿舍不得，可是为了不耽误时间，说了几句告别的话就分手（fēnshǒu, depart）了。希望不久我们还能再见面。

选择正确答案

1 A. 李成日和大卫坐一班（bān，flight）飞机。

B. 李成日和大卫坐差不多的飞机。

C. 李成日和大卫坐的两班飞机起飞时间差不多。

2 A. 两辆出租车是预订好的。

B. 太巧了，门口有两辆出租车。

C. 同学们找来两辆出租车。

3 A. 送的人不能进机场。

B. 送的人不能过海关检查的地方。

C. 送的人不能上飞机。

4 A. 不能耽误李成日、大卫坐飞机的时间。

B. 不能耽误李成日、大卫在登机口休息的时间。

C. 不能耽误李成日、大卫登机的时间。

测验 (21～40课)

一、填空
Fill in the blanks.

1. 选词填空（每个1分，共10分）
Fill in the blanks with the right words.

① 明天我们班去故宫（Gùgōng）＿＿＿＿＿＿。（参加、参观、旅游）

② 小王，＿＿＿＿＿＿我开开门。（帮、帮助、请）

③ 我＿＿＿＿＿好了几个朋友去旅游。（约会、说、约）

④ 星期六在礼堂开舞会，你们＿＿＿＿＿＿好了吗？（修、布置、搬）

⑤ 这个花瓶＿＿＿＿＿在哪儿好呢？（放、拿、收拾）

⑥ 新房的墙上＿＿＿＿＿着他们的结婚照。（放、挂、贴）

⑦ 这件衣服＿＿＿＿＿短，我要长＿＿＿＿＿的。（一点儿、不太、有点儿）

⑧ 我每天睡得不＿＿＿＿＿，可是早上还是不能早起。（早、多、晚）

⑨ 躺着看书＿＿＿＿＿眼睛不好。（就、对、向）

2. 选择正确的答案填空（每题1分，共15分）
Fill in the blanks with the correct answers.

① 听说这本书非常有意思，你能＿＿＿＿＿吗？

A. 看一下　　B. 借我看看　C. 给我看一会儿　D. 给借我

96

② 这个房间里 _____，开开窗户吧。

    A. 一点儿热   B. 不太热   C. 热一点儿   D. 有点儿热

③ 昨天晚上咱们都睡得很晚，今天你怎么起得 _____ 呢？

    A. 这么慢   B. 那么快   C. 这么早   D. 这么晚

④ 他画花儿 _____。

    A. 很好   B. 很好画   C. 画很好   D. 画得很好

⑤ 王经理让大家下午 _____。

    A. 二点在二楼开会   B. 两点开会在两楼

    C. 两点在二楼开会   D. 开会在二楼两点

⑥ 昨天我们 _____。

    A. 一起吃晚饭了在北京饭店   B. 在北京饭店了一起吃晚饭

    C. 在北京饭店一起吃晚饭了   D. 吃了晚饭一起在北京饭店

⑦ 那些衣服洗得 _____？

    A. 干净了吗   B. 干净吗

    C. 不干净了吗   D. 很干净了吗

⑧ 他是我的好朋友，_____ 呢？

    A. 我怎么能帮助   B. 我怎么能不帮助

    C. 我怎么可以帮助   D. 我怎么好帮助

⑨ 玛丽，你说手机不见了，床上 _____？

    A. 不是你的手机   B. 不是手机

    C. 不是我的手机吗   D. 不是你的手机吗

⑩ 明天你们吃 _____ 吗？

    A. 了早饭就去长城   B. 早饭就去长城

    C. 早饭了就去长城   D. 早饭去长城

⑪ 请等一下，他很快 _____。

    A. 就回来了   B. 回来家   C. 回来家了 D. 回去家

⑫ 我的眼睛不好，这么小的字_____。

    A. 看得清楚 B. 不看见   C. 不看见 D. 看不见

⑬ 我没学过法语，我_____。

    A. 听不懂   B. 不听懂   C. 不听   D. 没听懂

⑭ 刚才_____的时候，你在哪儿？

    A. 大下雨   B. 下多雨   C. 多下雨 D. 下大雨

⑮ 他唱歌_____。

    A. 得比我好 B. 唱得比我好   C. 好比我 D. 得好比我

二、给括号内的词语找到适当的位置（每题1分，共15分）
Find the appropriate place in the sentence for each word given in the bracket.

1. A 我 B 要 C 出去找小王，小王 D 就来了。   （刚）

2. 你 A 怎么 B 来，我 C 不到 D 十点就来了。   （才）

3. 你找玛丽吗？她 A 回 B 去 C 了 D 。   （宿舍）

4. A 翻译 B 这个句子 C ，我们就去散步 D 。   （完）

5. 这是我的手机号，A 以后 B 我们 C 联系 D 吧。   （多）

6. A 你 B 过马路 C 要 D 安全。   （注意）

7. 他 A 比我 B 早 C 毕业 D 。   （两年）

8. 昨天 A 我们 B 划了 C （的）船 D 。   （两个小时）

9. A 墙上 B 我买的 C 风景画儿 D 。   （挂着）

10. 我 A 饿了，B 想吃 C 东西 D 。   （一点儿）

11. 你 A 这儿的情况 B 跟他们 C 说说 D 。   （把）

12. 飞机 A 没按时 B 起飞 C 是 D 天气不好。   （因为）

13. A 雨 B 下 C 得 D 大。   （越来越）

14. 这个包太重，我 A 想你 B 大概 C 拿 D 动。   （不）

15. 这个旅游计划 A 不太合适，我 B 想 C 计划一下 D 。（重新）

三、**完成对话**（每题 3 分，共 30 分）
Complete the following dialogues.

1. A：小刘在楼上吗？

   B：在，你_____去找他吧。

2. A：我去商店，你要带什么吗？

   B：_____买两瓶可乐。（麻烦）

3. A：请您给我们_____，好吗？（照相）

   B：好。

4. A：_____？（还是）

   B：香港、上海我都想去。

5. A：_____？（上网）

   B：不常上网，我没有电脑，去网吧又不太方便。

6. A：_____？（难）

   B：汉语有点儿难，可是我觉得很有意思。

7. A：昨天下午我给你打手机，你怎么不接？

   B：真不巧，_____。（把、忘、家）

8. A：我来晚了，_____！（久）

   B：我也刚来一会儿。

9. A：_____？（生活、习惯）

   B：刚来这儿的时候，有点儿不习惯，现在习惯了。

10. A：_____是你妹妹吗？（照片）

    B：哪儿啊，是我小时候。

用所给词语改写句子（每题3分，共15分）

Rewrite the following sentences with the given words.

1. 昨天很冷，今天不太冷。（比）

   →＿＿＿＿＿＿＿＿＿＿＿＿＿＿＿＿＿＿＿＿＿＿＿

2. 他唱歌唱得很好，我唱得很不好。（没有）

   →＿＿＿＿＿＿＿＿＿＿＿＿＿＿＿＿＿＿＿＿＿＿＿

3. 他把我的自行车借走了。（被）

   →＿＿＿＿＿＿＿＿＿＿＿＿＿＿＿＿＿＿＿＿＿＿＿

4. 小树被大风刮倒了。（把）

   →＿＿＿＿＿＿＿＿＿＿＿＿＿＿＿＿＿＿＿＿＿＿＿

5. 我起晚了，迟到了。（因为）

   →＿＿＿＿＿＿＿＿＿＿＿＿＿＿＿＿＿＿＿＿＿＿＿

五、**用所给词语完成疑问句**（每题3分，共15分）

Complete the following interrogative sentences with the given words.

1. A：＿＿＿＿＿＿＿＿＿汉语吗？（会）
   B：现在我会说一点儿了。

2. A：我说汉语，你＿＿＿＿＿＿＿＿＿＿＿？（……得……）
   B：你慢点儿说，我听得懂。

3. A：昨天晚上你＿＿＿＿＿＿＿＿＿＿＿（的）音乐？（时间）
   B：我听了二十分钟。

4. A：昨天你去商店＿＿＿＿＿＿＿＿＿没有？（买）
   B：我没买东西。

5. A：教室里的窗户＿＿＿＿＿＿＿没有？（着）
   B：都开着呢。

参考答案

➤ 第二十一课 ◄

二 1 帮助妈妈　　2 正在　　　3 通知我们　　4 参加工作
　　5 一定喜欢　　6 通知　　　7 饭店里

三 1 A　　2 A　　3 B　　4 A　　5 B　　6 B

四 1 (✗)　　2 (√)　　3 (✗)　　4 (✗)　　5 (√)　　6 (✗)

五 1 小王请我帮他拿东西。
　　2 老师通知我们去长城。
　　3 我转告他这个事儿了。/这个事儿我转告他了。
　　4 圣诞节我去听音乐会。
　　5 昨天我们去动物园看了很多动物。

六 1 A　　2 B　　3 C

➤ 第二十二课 ◄

二 1 B：真不巧/我没空儿　A：有空儿
　　2 B：陪她去商店
　　3 B：刚来
　　4 B：有个约会

三 1 A　　2 A　　3 B　　4 C　　5 B　　6 B

四 1 ✗　2 √　3 ✗　4 √　5 ✗　6 √　7 ✗　8 √

五 1 A：你吃橘子了吗？
　　　B：你吃了几个橘子？

2 A：你跟王先生见面了吗？

B：跟他见面了。他给了我一本杂志。

3 A：我刚拿来的那张报纸你见了没有？

B：没见，刚拿来就没有了？你再找找。

六 1 B　　2 C　　3 B　　4 C

➤ 第二十三课 ◄

二 1 A：才来　　　　　　　　B：久等了

　2 A：借给我看看吗　　　　B：借多长时间　　A：还你

　3 A：可能坏了/弄坏了　　B：会修

　4 A：约谁

三 1 B　　2 B　　3 C　　4 B　　5 A　　6 A

四 A：大卫，你看完那本杂志了吗？我也想看看。

B：

A：可以，你看完以后，让张新转交我吧。

B：张新回上海去了，我能找到你，我给你吧。

A：

五 1 ✕　　2 ✕　　3 √　　4 ✕　　5 √　　6 ✕　　7 ✕　　8 ✕

六 1 A　　2 B　　3 C

➤ 第二十四课 ◄

二 1 A：忘在里边了　　B：马上　　A：别急

　2 A：见到　　　　　A：摔坏　　B：真可惜

三 1 A　　2 B　　3 B　　4 A　　5 A　　6 B

四 1 ✕　　2 ✓　　3 ✓　　4 ✕　　5 ✓
　　6 ✕　　7 ✕　　8 ✓　　9 ✓　　10 ✓

五 1 ……，妈妈让我们吃饭。
　　2 ……，真糟糕！
　　3 他打保龄球的时候摔坏了手机。
　　4 他房间的地上有很多东西，乱七八糟的。
　　5 ……，你说可惜不可惜？
　　6 ……，给朋友买的礼物忘拿了！

六 1 B　　2 A　　3 B　　4 B　　5 B

➤ 第二十五课 ◄

二 1 A：张画儿怎么样　　B：得真
　　2 A：觉得很抱歉
　　3 A：布置好了
　　4 A：方便吗
　　5 A：在哪儿　　　　　B：放在桌子上

三 1 B　　2 B　　3 B　　4 C　　5 B

四 1 ✕　2 ✓　3 ✕　4 ✓　5 ✕　6 ✓

五 1 今天他们两个一起去公园。
　　2 这个大衣柜颜色这么好看！
　　3 ……，我觉得昨天更冷。
　　4 ……，我就带你去。
　　5 这些杂志借给我看看吧。

六 1 B　　2 B　　3 A　　4 C　　5 A

➤ 第二十六课 ◄

二 1 A：考得怎么样　　　　A：考得不太好

　 2 A：有一个问题

　 3 A：全班

　 4 A：打开书　　　　　　B：全

　 5 A：拿得了吗

　 6 B：你工作顺利

三 1 B　　2 B　　3 B　　4 C　　5 C　　6 C

四 1 ✕　2 ✕　3 ✓　4 ✓　5 ✕　6 ✕

五 1 这个问题难，……。

　 2 ……，……，生活得很幸福。

　 3 这个铅笔盒打不开，……。

　 4 这本杂志你一个星期看得完看不完？

　 5 ……，我听不懂。

　 6 他买了一条鱼，……。

六 1 A　　2 C　　3 C

➤ 第二十七课 ◄

二 1 A：注意休息

　 2 B：有点儿咳嗽

　 3 A：病了　　　　　　B：什么病

　 4 A：迟到　　　　　　B：别迟到

　 5 B：觉得很舒服

　 6 A：出交通事故了

　 7 A：生活习惯

三　1 C　　2 C　　3 C　　4 C　　5 B　　6 B　　7 A

四　1 ✕　2 ✕　3 √　4 ✕　5 ✕　6 ✕

五　1 喝一点儿酒对身体没关系，喝多了不好。
　　2 今天我有点儿忙，……，……。
　　3 每年我都来中国。
　　4 他习惯真不好，……。
　　5 B：别带礼物，……！

六　1 C　　2 B　　3 A　　4 A

▶ **第二十八课** ◀

二　1 A：下雨　　　　　B：下雨　　　　B：刮风
　　2 A：听天气预报
　　3 A：凉快　　　　　B：凉快极了
　　4 A：个子高
　　5 A：练习　　　　　B：练习写字

三　1 B　　2 C　　3 B　　4 B　　5 C　　6 C

四　1 ✕　2 ✕　3 ✕　4 √　5 ✕　6 ✕

五　1 词典比我的新
　　2 比昨天热
　　3 比小张家人口少/比小张家少两口人
　　4 比一斤苹果贵一块钱
　　5 比小张滑冰滑得好/滑冰比小张好

六　1 C　　2 A　　3 C

➤ 第二十九课 ◄

二 1 A：什么运动

2 A：游泳吗

3 A：谁跟谁比赛吗

4 A：练了多长时间了　　　B：教你吗

5 B：去旅行　　　　　　　A：旅行

6 A：丢了　　　　　　　　B：丢在哪儿了

7 B：躺

三 1 A　　2 A　　3 B　　4 C　　5 B

四 1 ✗　　2 ✗　　3 ✗　　4 ✓　　5 ✗　　6 ✓

五 1 小张没有大卫个子高。/小张个子没有大卫高。

2 王兰没有玛丽喜欢滑冰。

3 昨天的风没有今天大。

4 这套纪念邮票没有那套漂亮。

5 他以前身体没有现在好。

6 我抽烟没有他多。

7 我游泳没有他游得快。

六 1 B　　2 C　　3 A　　4 B

➤ 第三十课 ◄

二 1 B：提高工作能力

2 A：记住了　　　　　B：记住

3 A：比较一下

4 A：当妈妈 　　　　 B：当爸爸

5 B：收拾 　　　　　 A：收拾好

6 B：看不清楚

三 1 B 　 2 C 　 3 A 　 4 A 　 5 C 　 6 C

四 1 ……，……，在家里我是最小的。

2 我常常骑快车，妈妈不放心。

3 我的手机除了能打电话以外，……。

4 我的书包里除了钱包以外，……。

5 我去广州旅行了一个星期。

6 他们谈话谈了一个小时。

五 1 我除了应该买一个洗衣机以外，还应该买一个冰箱。

2 全班同学，除了大卫以外，都来了。

3 他给朋友们当了三天导游。

4 她跟中国朋友学做包子学了两个小时。

5 我每天早上跑步跑半个小时。

六 1 A 　 2 B 　 3 A

➤ 第三十一课 ◄

二 1 A：游览了

2 A：有什么计划 　　 A：计划

3 A：各种各样

4 A：风景怎么样

5 A：热闹吗

三 1 C 　 2 C 　 3 C 　 4 C 　 5 A

四 1 ✗ 　 2 ✓ 　 3 ✗ 　 4 ✗ 　 5 ✗ 　 6 ✗ 　 7 ✓

五 1 昨天上午你打字打了多长时间？

2 晚上你要预习多长时间语法？

3 现在你能翻译一些句子了吗？

4 慢点儿说，你听得懂听不懂？/慢点儿说，你听得懂吗？

六 1 C   2 C   3 B

➤ 第三十二课 ◄

二 1 A：帮忙吗

2 A：预订了吗

3 B：讨论语法

4 A：检查

5 A：挂在哪儿了

6 A：停着

7 A：三天以内

三 1 A   2 B   3 A   4 B   5 B

四 1 他进礼堂去看电影。

2 商店里挂着很多广告。

3 ……，现在电视还开着呢，……！

4 星期天我要去学校给老师帮一天忙。

5 你看见小李了吗？……。

五 1 图书馆外边停着小汽车没有？

2 他在开讨论会的时候看见张老师了没有？

3 桌子上放着一个漂亮的花瓶没有？

4 他家的门关着没有？

5 钱包里放着电话卡没有?

6 你听见外边有人说话没有?

六 1 B   2 A   3 C

➤ 第三十三课 ◀

二 1 A：有空房间吗   B：住满了

2 A：裙子 裤子   B：裤子

3 A：渴极了

4 A：洗 澡

5 A：质量真不好

6 A：终于来了

三 1 B   2 C   3 B   4 B   5 A

四 1 ……，……，开不进去。

2 ……，她穿得漂漂亮亮的。

3 ……，我们可以凉凉快快地休息。

4 ……，我们就去划船。

5 ……，我想先洗洗澡再吃饭。

6 他买了一件白衬衫。

五 1 这个包太小，书放不进去。

2 这辆车满了，我上不去了。

3 只要有地图，我就能找到那个地方。

4 只要空调的质量好，我就买。

5 只要箱子不大，就能放进车里。

六 1 B   2 C   3 A   4 C

➤ 第三十四课 ◄

二 1 A：锁好

2 A：锻炼身体

3 A：一个手术

4 A：摔伤了

5 B：打针

6 A：开始上课

三 1 A   2 B   3 B   4 A   5 A

四 1 王经理把文件看完了。

2 大夫请他把嘴张开，……。

3 她一进家门就说："……！"

4 只要休息休息，伤就能好。

5 她打了两天针，……。

6 请你把灯开开，……。

五 1 他把出院手续办完了。

2 他把手弄伤了。

3 ……，他把自行车钥匙丢了。

4 你把那个橘子吃了吧！

5 他把去上海的飞机票买好了。

六 1 A   2 B   3 C

➤ 第三十五课 ◄

二 1 B：保证没问题

2 A：准时送到

3 B：戴（手）表

4 B：被（预）订完了

5 A：看样子要下雨

6 A：喝点儿咖啡什么的

三　1 B　　2 A　　3 B　　4 B　　5 A

四　1 他的身体一年比一年好。

2 那个买随身听的人是我弟弟。

3 ……，那棵树叫车撞倒了。

4 ……，……，我们走着去吧。

5 看样子他很着急，……。

6 刚买的画报被我忘在出租车上了。

五　1 打球的时候，他被撞倒了，眼镜也被摔坏了。

2 孩子的牛奶被小狗喝了。

3 妹妹被他关在门外了。

4 他寄给玛丽的信被邮局退回来了。

5 电影票被他弄丢了，不能看电影了。

六　1 A　　2 C　　3 B

➤ 第三十六课 ◄

二　1 A：跟同学们告别了吗

2 A：打扰您一下儿

3 A：照顾孩子

4 A：准备好了没有

5 A：继续学习

6 A：你打算去哪儿

7 B：好机会

三　1 A　　2 B　　3 A　　4 C

111

四　1 他来教室十分钟了。

　　2 他们聊了半个小时（天儿）。

　　3 ……，我们班有的同学去上海，有的同学去桂林。

　　4 ……，明天去向你告别。

　　5 好多日子没有看见他了。/好长时间没有看见他了。

五　1 我一边看画报，一边听音乐。

　　2 趁天气好，我去公园看花儿。

　　3 这些杂志有的是我的，有的是我妹妹的。

　　4 我们离开商店半个小时了。

　　5 向前走就是商店。

六　1 C　　2 C　　3 A　　4 B

➤ 第三十七课 ◄

二　1 A：开个欢送会吧

　　2 A：取得签证了吗

　　3 A：舍不得　留给

　　4 A：该吃饭了

　　5 B：颜色　深

　　6 A：汉语水平

三　1 A　　2 C　　3 A　　4 A　　5 C　　6 C

四　1 她把衣服挂在柜子里。

　　2 他把电话号码留在玛丽的本子上。

　　3 同学们把练习本交给老师了。

　　4 桂林的风景很美。

　　5 ……，导游热情地给我们介绍。

五　1 他虽然生病了，可是没有休息。
　　2 人们的生活水平越来越高了。
　　3 老师把几个句子写在黑板上了。
　　4 我把照相机借给王兰用了。
　　5 （已经）十一点了，该睡觉了。

六　1 A　　2 C　　3 B　　4 B

➡ 第三十八课 ⬅

二　1 A：打听到了吗
　　2 A：搬得动吗
　　3 A：能取
　　4 B：为了身体健康
　　5 A：算对了吗

三　1 A　　2 B　　3 C　　4 B　　5 A

四　1 为了顾客们方便，……。
　　2 ……，而且有书。
　　3 ……，下午我要去银行取钱。
　　4 那儿不但古迹多，而且风景很美。
　　5 ……，我想不起他的名字来了，现在想起来了。

五　1 你按照价目表交钱。
　　2 天气好的话，我坐飞机。
　　3 把那本书拿下去的话，就不超重了。
　　4 我来中国是为了学习汉语。
　　5 他不但喜欢学习汉语，而且喜欢唱中文歌。

六　1 C　　2 C　　3 B　　4 A

➤ **第三十九课** ◄

二　1 A：很特别

　　2 A：添点儿

　　3 A：轻点儿

　　4 A：不结实　　　　　B：结实点儿的

　　5 B：随身带着

　　6 A：多了解中国

三　1 B　　2 B　　3 A　　4 C　　5 B

四　1 你今天还是明天去取照片？

　　2 我的手提包不如你的新。

　　3 ……，……，和子住在另外一个房间。

　　4 下星期的足球比赛你报名了吗？

　　5 ……，我（还）要再买一双（这样的鞋）。

五　1 今天不如昨天暖和。

　　2 坐汽车去不如坐地铁去快。

　　3 大夫说，今天住院或者明天住院都可以。

　　4 在上海，我们不但参观了浦东，而且参观了南京路。

六　1 A　　2 C　　3 A　　4 C

➤ **第四十课** ◄

二　1 A：平平安安回家来

　　2 B：耽误了学习

　　3 A：考虑得怎么样了

　　4 A：进步不大　不努力

5 B：合适的时间

6 B：跑不动

三　1 A　　2 A　　3 B　　4 B　　5 B

四　1 ……，我挑好了帽子，……。

2 我没把手提包忘在宾馆。

3 ……，要注意交通安全。

4 ……，替我问你爸爸、妈妈好。

5 我希望你早一点儿出院，……。

五　1 他一回到家，就打开了电脑。

2 他没有把行李收拾好。

3 汽车太挤的话，就坐出租车吧。

4 足球比赛的时候，虽然他的腿受伤了，可是他还继续参加了比赛。

六　1 C　　2 A　　3 B　　4 C

➤ 测验 ➤

一　1 ① 参观　　② 帮　　③ 约　　④ 布置　　⑤ 放　　⑥ 挂

⑦ 有点儿、一点儿　　⑧ 晚　　⑨ 对

2 ① B　　② D　　③ C　　④ D　　⑤ C

⑥ C　　⑦ B　　⑧ B　　⑨ D　　⑩ A

⑪ A　　⑫ D　　⑬ A　　⑭ D　　⑮ B

二　1 B　　　2 B　　　3 B　　　4 B　　　5 C

6 D　　　7 C/D　　8 C　　　9 B　　　10 C

11 A　　　12 D　　　13 D　　　14 D　　　15 C

三　1 B：上

　　 2 A：麻烦你

　　 3 A：照（一）张相

　　 4 A：你去香港还是去上海

　　 5 A：你常上网吗

　　 6 A：汉语难吗

　　 7 B：我把手机忘在家里了

　　 8 A：让你久等了

　　 9 A：在这儿你生活得习惯吗

　　 10 A：照片上（的人）

四　1 昨天比今天冷。

　　 2 我唱歌唱得没有他好。

　　 3 我的自行车被他借走了。

　　 4 大风把小树刮倒了。

　　 5 我迟到是因为起晚了。

五　1 A：你会说

　　 2 A：听得懂吗/你听得懂听不懂

　　 3 A：听了多长时间

　　 4 A：买东西了

　　 5 A：开着